Oefenboek

rijbewijs B

Colofon

17e Volledig herziene druk.

ISBN: 978-90-18-03441-2
NUR: 462

Productie: Uitgeverij Smit.
Tekst: Uitgeverij Smit.
Uitgevers: Karel Valkenburg, Niels Roodenburg.
Beeld: E. Smit, ANWB-rijopleiding.
Omslagontwerp: Studio ANWB.
Omslagfoto's: Audiovisuele Dienst ANWB; Uitgeverij Smit.

Inleiding

Dit oefenboek hoort bij het Theorieboek Rijbewijs B van ANWB-rijopleiding. Het is vooral bedoeld voor iedereen die zich zelfstandig of via een cursus wil voorbereiden op het theorie-examen Rijbewijs B. Daarnaast is het ook een handig boek als u uw kennis op wilt frissen.

Het oefenboek is opgebouwd uit 10 series vragen. Er zijn verschillende type vragen: meerkeuzevragen, open vragen en vragen die u met Ja of Nee moet beantwoorden. Elke serie bestaat uit 65 vragen en is te beschouwen als een proefexamen, samengesteld volgens de richtlijnen van het CBR. De 65 vragen zijn onderverdeeld in 25 vragen die betrekking hebben op gevaarherkenning en 40 overige vragen. De 40 overige vragen zijn onderverdeeld in 30 vragen die betrekking hebben op regelgeving en 10 inzichtvragen. Om te kunnen slagen moet u minimaal 13 van de 25 gevaarherkenningsvragen en 35 van de 40 overige vragen goed kunnen beantwoorden. Al naar gelang de soort vraag, krijgt u 8 tot 10 seconden de tijd om antwoord te geven. Probeer deze tijdslimiet ook aan te houden bij het oefenen. Zo bereid u uzelf het beste voor op het theorie-examen. Uiteindelijk zijn tijdens het autorijden zelf ook vaak snelle beslissingen noodzakelijk.

Het CBR heeft "Het Nieuwe Rijden" opgenomen in het theorie-examen, waarin in gegaan wordt op zuinig, milieubewust en veilig rijden. Daarvoor ook aandacht in dit boek.

Hoe gebruik u dit boek? Na het bestuderen van de verkeerstheorie kun u uw kennis toetsen aan de hand van de vragen bij de afbeeldingen. Bij de vragen over gevaarherkenning staan foto's genomen vanuit de stoel van de bestuurder. Bij de meeste overige vragen staan foto's met een witte lesauto van de ANWB-Rijopleiding. U moet u voorstellen dat u zelf daarvan de bestuurder bent.

Achter in het oefenboek staan de antwoorden met een korte toelichting. De antwoorden hebben uitsluitend betrekking op de gestelde vraag en geven dus niet de algemene regels weer. Voor de algemene regels moet u de verkeerstheorie in het ANWB-Rijopleiding Theorieboek Rijbewijs B raadplegen. Bij elk antwoord staat de categorie vermeld waartoe de vraag behoort. Hiermee is het snel terug te vinden in het Theorieboek.

Aanvullingen ANWB Theorieboek en Oefenboek Rijbewijs B
Geregeld worden door het CBR nieuwe vragen toegevoegd aan het theorie-examen B. Als aanvulling zijn de oefenvragen en nieuwe regels, die nog niet in de boeken en op de cd-rom zijn verwerkt, te vinden op anwb.nl/theorie. Raadpleeg dus, voor een optimale voorbereiding op het theorie-examen, ook anwb.nl/theorie.

Na het maken van een oefententamen adviseren wij om de theorie-onderdelen die u nog niet goed beheerst nog een keer te bestuderen en daarna pas het volgende oefententamen te maken. Raadpleeg bij vragen ook uw theoriedocent of rij-instructeur. Zij kunnen u ongetwijfeld de theorie uitleggen en specifieke situaties uitleggen.

Veel succes.

Inhoudopgave

Gevaarherkenning

Elk examen/examen in dit oefenboek is ingedeeld zoals een theorie-examen bij het CBR. Een examen begint met 25 vragen over gevaarherkenning. Bij deze vragen wordt u steeds de vraag gesteld: Wat kunt u hier het beste doen? U heeft steeds de keuze uit drie antwoorden:
A. Remmen, B. Gas loslaten of C. Niets.

A. Remmen; **In deze situatie is er direct gevaar dat vraagt om direct ingrijpen.**

B. Gas loslaten; **Latent gevaar: er kan iets gebeuren. (dit staat los van snelheidsvermindering).** U bent in deze situatie extra alert op eventueel gevaar dat veroorzaakt kan worden door andere weggebruikers.

C. Niets; **Geen direct en geen latent gevaar.** U kunt blijven rijden met dezelfde snelheid.

Hoe benadert u een gevaarsherkenningssituatie?
Bij elke situatie zijn drie onderdelen belangrijk om mee te laten wegen in uw antwoord.

Ten eerste: Het is belangrijk de situatie goed te observeren. Wat zie ik? Wie doe ik? Wat doen de medeweggebruikers? Hoe zijn de (weers)omstandigsheden? Wat kan ik verwachten dat er nu gaat gebeuren?

Ten tweede: U zult moeten beslissen welk antwoord het beste bij uw snelheid past. Onderin elk beeld ziet u de snelheidsmeter.

Ten derde: Het is belangrijk om regelmatig in de binnenspiegel te kijken. Houdt het achteropkomende verkeer in de gaten.

Hieronder een voorbeeld situatie:

Belangrijk: Tijdens het CBR examen heeft u slechts 8 seconden de tijd om de situatie te beoordelen en een antwoord te geven.

Examen 1

De antwoorden en motivaties vindt u op pagina 226.

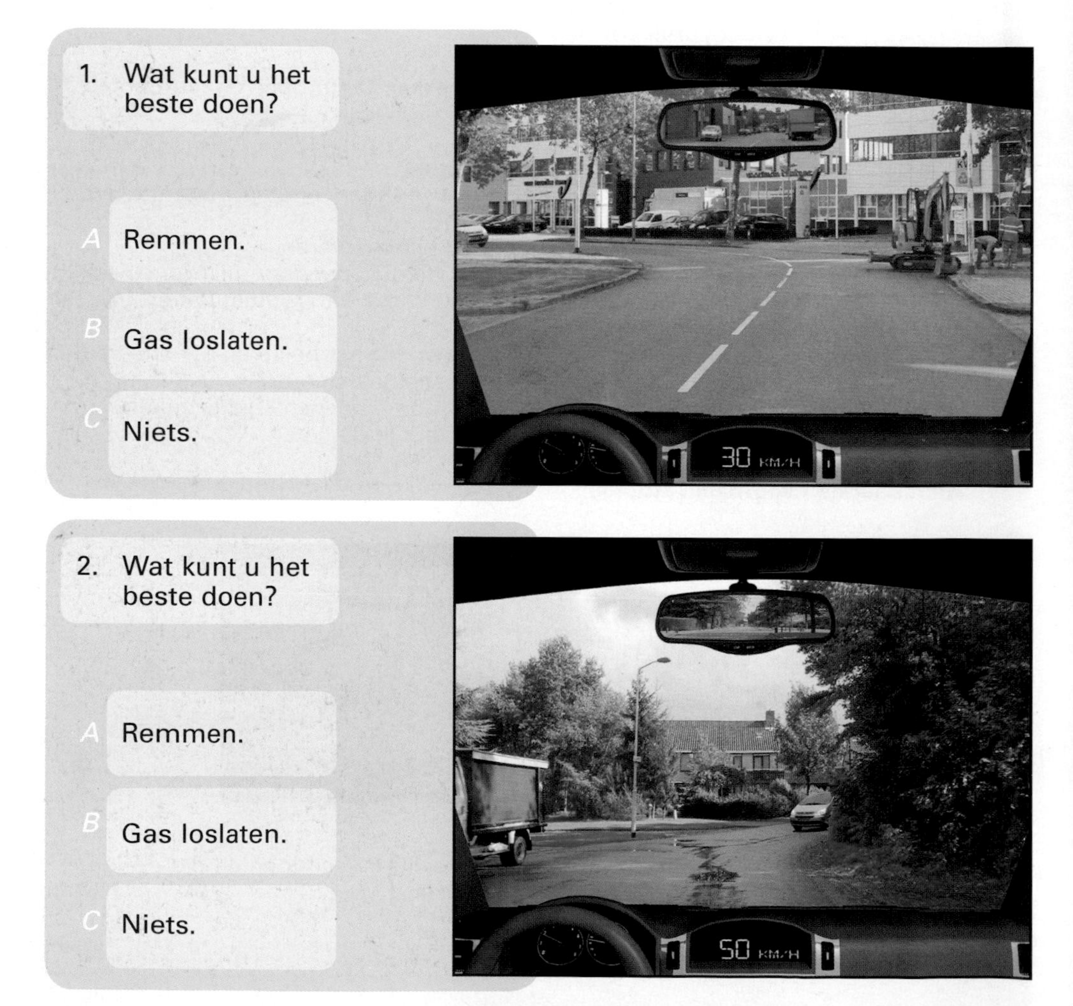

1. Wat kunt u het beste doen?

A Remmen.

B Gas loslaten.

C Niets.

2. Wat kunt u het beste doen?

A Remmen.

B Gas loslaten.

C Niets.

3. Wat kunt u het beste doen?

A Remmen.

B Gas loslaten.

C Niets.

4. Wat kunt u het beste doen?

A Remmen.

B Gas loslaten.

C Niets.

5. Wat kunt u het beste doen?

A Remmen.

B Gas loslaten.

C Niets.

6. Wat kunt u het beste doen?

A Remmen.

B Gas loslaten.

C Niets.

7. Wat kunt u het beste doen?

A Remmen.

B Gas loslaten.

C Niets.

8. Wat kunt u het beste doen?

A Remmen.

B Gas loslaten.

C Niets.

9. Wat kunt u het beste doen?

A Remmen.

B Gas loslaten.

C Niets.

10. Wat kunt u het beste doen?

A Remmen.

B Gas loslaten.

C Niets.

11. Wat kunt u het beste doen?

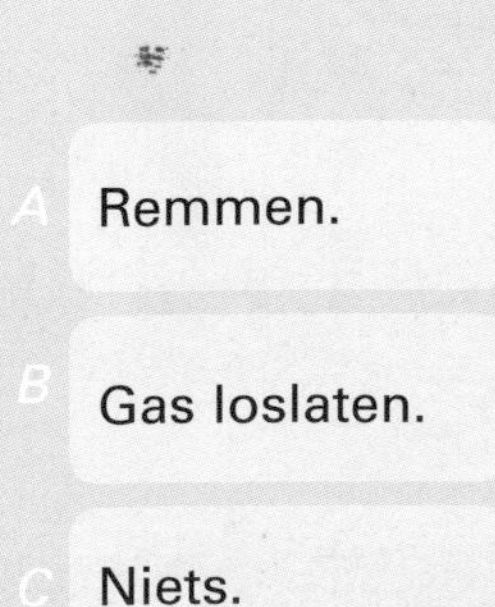

A Remmen.

B Gas loslaten.

C Niets.

12. Wat kunt u het beste doen?

A Remmen.

B Gas loslaten.

C Niets.

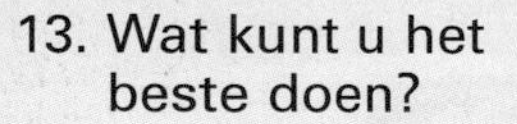

13. Wat kunt u het beste doen?

A Remmen.

B Gas loslaten.

C Niets.

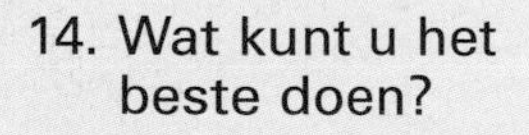

14. Wat kunt u het beste doen?

A Remmen.

B Gas loslaten.

C Niets.

15. Wat kunt u het beste doen?

A Remmen.

B Gas loslaten.

C Niets.

16. Wat kunt u het beste doen?

A Remmen.

B Gas loslaten.

C Niets.

17. Wat kunt u het beste doen?

A Remmen.

B Gas loslaten.

C Niets.

18. Wat kunt u het beste doen?

A Remmen.

B Gas loslaten.

C Niets.

19. Wat kunt u het beste doen?

A Remmen.

B Gas loslaten.

C Niets.

20. Wat kunt u het beste doen?

A Remmen.

B Gas loslaten.

C Niets.

21. Wat kunt u het beste doen?

A Remmen.

B Gas loslaten.

C Niets.

22. Wat kunt u het beste doen?

A Remmen.

B Gas loslaten.

C Niets.

23. Wat kunt u het beste doen?

A Remmen.

B Gas loslaten.

C Niets.

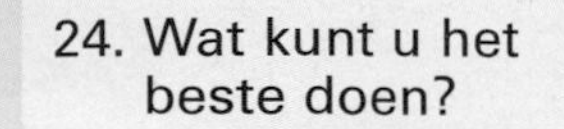

24. Wat kunt u het beste doen?

A Remmen.

B Gas loslaten.

C Niets.

25. Wat kunt u het beste doen?

A Remmen.

B Gas loslaten.

C Niets.

26. De maximumsnelheid voor een motorvoertuig bedraagt op deze rijbaan:

..... km per uur.

27. Is het voor personen kleiner dan 1,35 meter toegestaan om een driepuntsgordel te gebruiken als heupgordel?

- ☐ Ja.
- ☐ Nee.

28. Wat is hier de juiste volgorde van voor laten gaan?

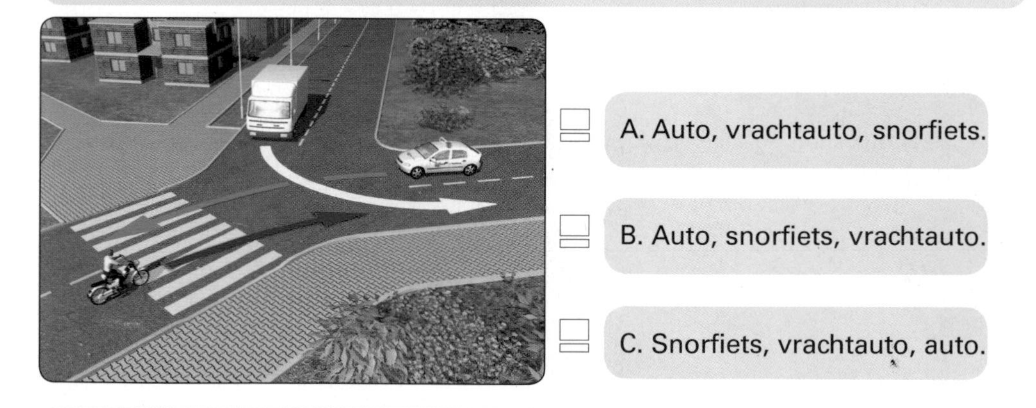

- ☐ A. Auto, vrachtauto, snorfiets.
- ☐ B. Auto, snorfiets, vrachtauto.
- ☐ C. Snorfiets, vrachtauto, auto.

29. Welke bestuurders mogen een weg met dit bord inrijden?

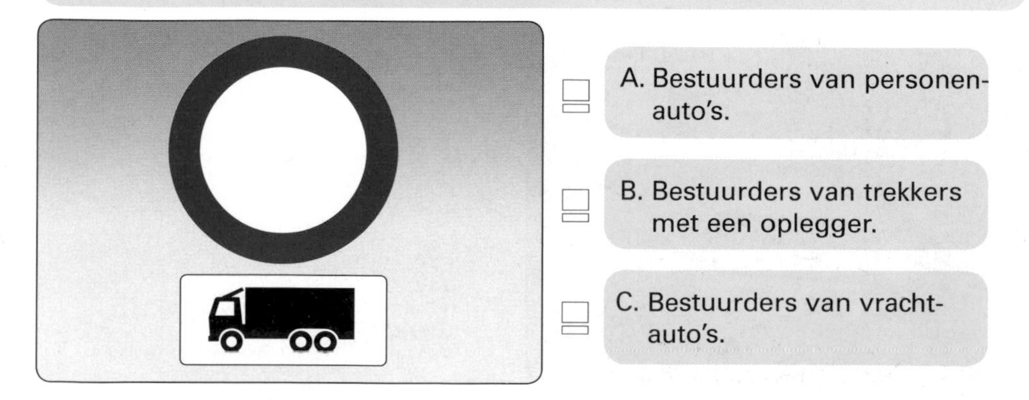

- ☐ A. Bestuurders van personen-auto's.
- ☐ B. Bestuurders van trekkers met een oplegger.
- ☐ C. Bestuurders van vracht-auto's.

30. Bent u verplicht om alle weggebruikers, die van links of van rechts naderen, voor te laten gaan?

- ☐ Ja.
- ☐ Nee.

31. Wie heeft hier voorrang?

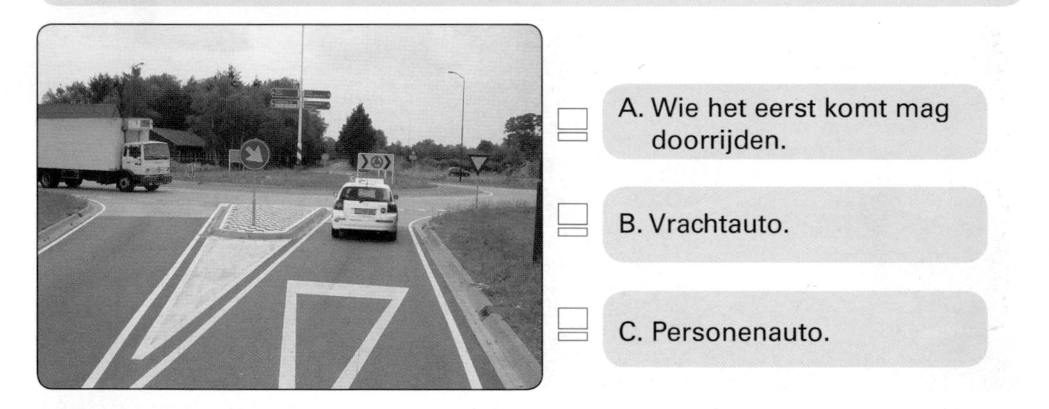

- ☐ A. Wie het eerst komt mag doorrijden.
- ☐ B. Vrachtauto.
- ☐ C. Personenauto.

32. Mag u hier inrijden?

- ☐ Ja.
- ☐ Nee.

33. Wat is hier de juiste volgorde van voor laten gaan?

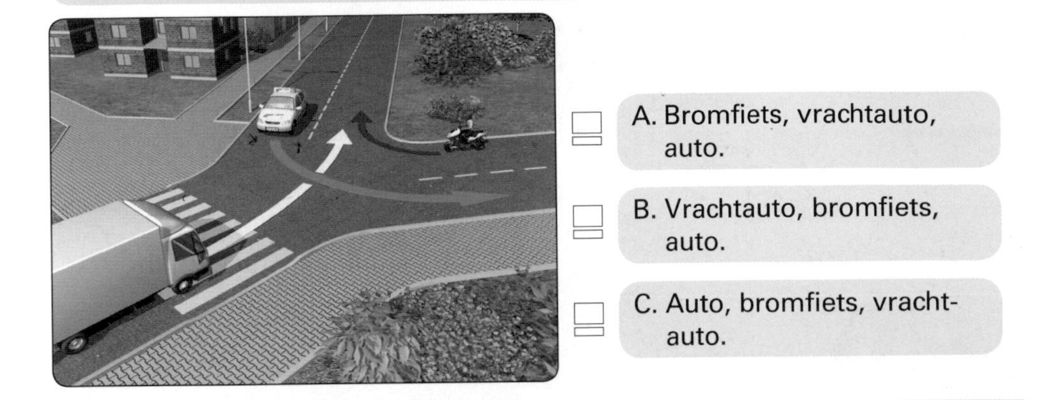

- A. Bromfiets, vrachtauto, auto.
- B. Vrachtauto, bromfiets, auto.
- C. Auto, bromfiets, vrachtauto.

34. Nadert u hier een voorrangskruispunt?

- Ja.
- Nee.

35. Het verbod om door te rijden bij dit bord geldt voor:

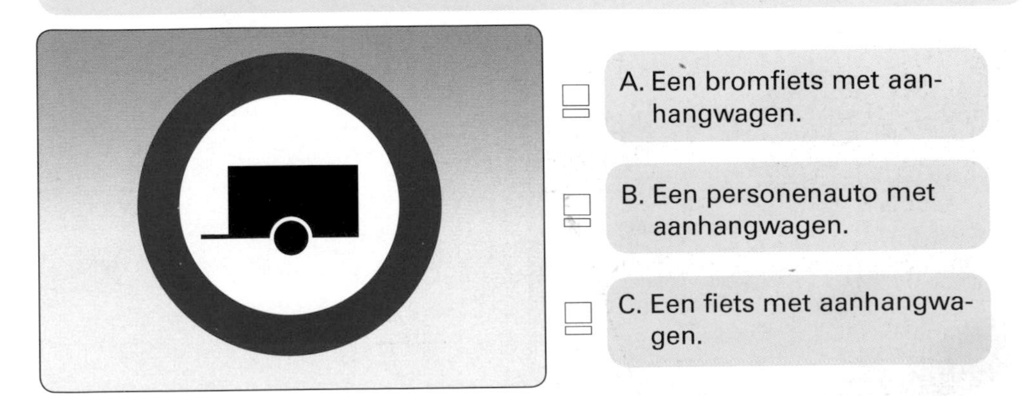

- A. Een bromfiets met aanhangwagen.
- B. Een personenauto met aanhangwagen.
- C. Een fiets met aanhangwagen.

36. Moet u de voetganger voor laten gaan?

☐ Ja.

☐ Nee.

37. Moet u de bestuurder van de tram, die van links komt, voor laten gaan?

☐ Ja.

☐ Nee.

38. U rijdt op een onverharde weg. Moet u de voetganger voor laten gaan?

☐ Ja.

☐ Nee.

39. Stilstaan met uw auto is verboden naast:

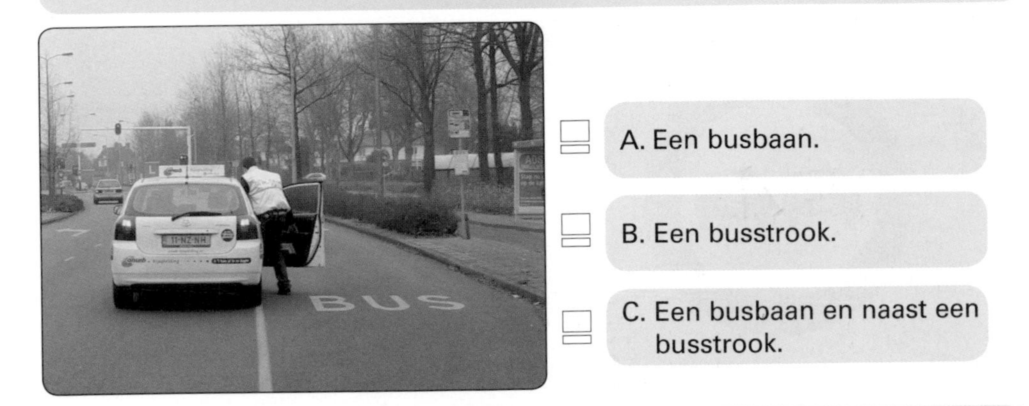

- A. Een busbaan.
- B. Een busstrook.
- C. Een busbaan en naast een busstrook.

40. U nadert dit bord. Moet u een voetganger die u tegemoet komt voor laten gaan?

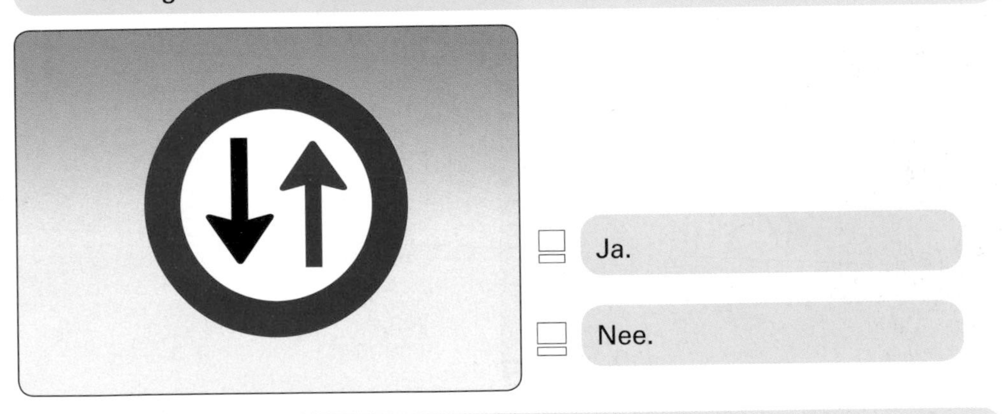

- Ja.
- Nee.

41. Nadert u hier een bestuurder?

- Ja.
- Nee.

42. Mag u bij dit bord een tractor inhalen?

- [ ] Ja.
- [ ] Nee.

43. Mag u nu rechts afslaan?

- [ ] Ja.
- [ ] Nee.

44. Sorteert u zo goed voor om links af te slaan?

- [ ] Ja.
- [ ] Nee.

45. U rijdt op een voorrangsweg. Moet u de bestuurder van de brandweer-auto, met optische- en geluidssignalen, voor laten gaan?

- [ ] Ja.
- [ ] Nee.

46. Mag u aan de rechterzijde van de rijbaan stoppen om iemand te laten instappen?

- [ ] Ja.
- [ ] Nee.

47. Mag u de tram hier aan de rechterzijde inhalen?

- [ ] Ja.
- [ ] Nee.

48. Mag u hier uw auto zo parkeren?

- Ja.
- Nee.

49. Mag u hier parkeren?

- Ja.
- Nee.

50. Moet u de in- en uitstappende passagiers van de tram voor laten gaan?

- Ja.
- Nee.

51. Mag u hier de file aan de rechterzijde inhalen?

- Ja.
- Nee.

52. U mag doorrijden bij dit bord als uw auto:

- A. Niet breder is dan 2,30 meter, de lading inbegrepen.
- B. Niet hoger is dan 2,00 meter.
- C. Niet breder is dan 2,30 meter, de lading niet inbegrepen.

53. Moet u de bestuurder van de ambulance, zonder optische- en geluidssignalen, voor laten gaan?

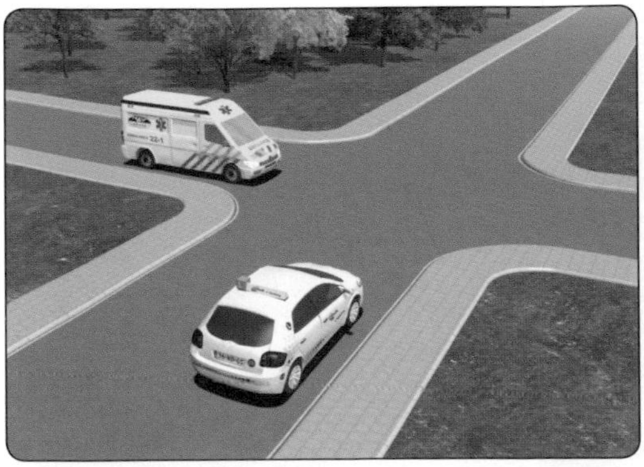

- Ja.
- Nee.

54. Deelbare lading mag niet meer dan 5 meter achter de achterste as van het voertuig uitsteken. Hoeveel meter mag de lading maximaal achter het voertuig uitsteken?

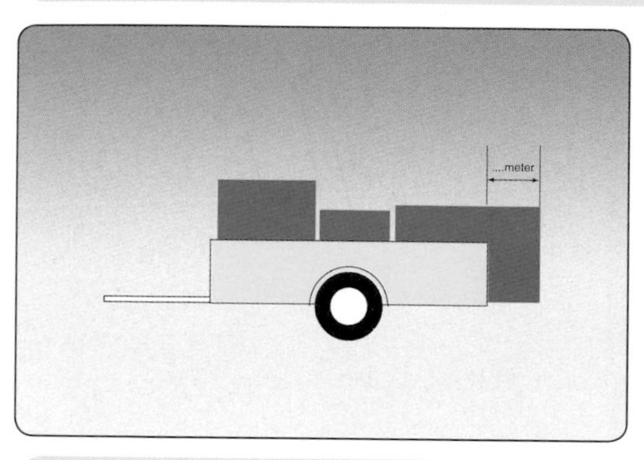

..... meter.

55. U staat zo met uw auto met pech en hebt uw knipperende waarschuwingslichten aan. Moet u nu een gevarendriehoek plaatsen?

- ☐ Ja.
- ☐ Nee.

56. Is het verstandig om hier 50 km per uur te rijden?

- ☐ Ja.
- ☐ Nee.

57. Welk cijfer geeft de dode hoek(en) van een personenauto aan?

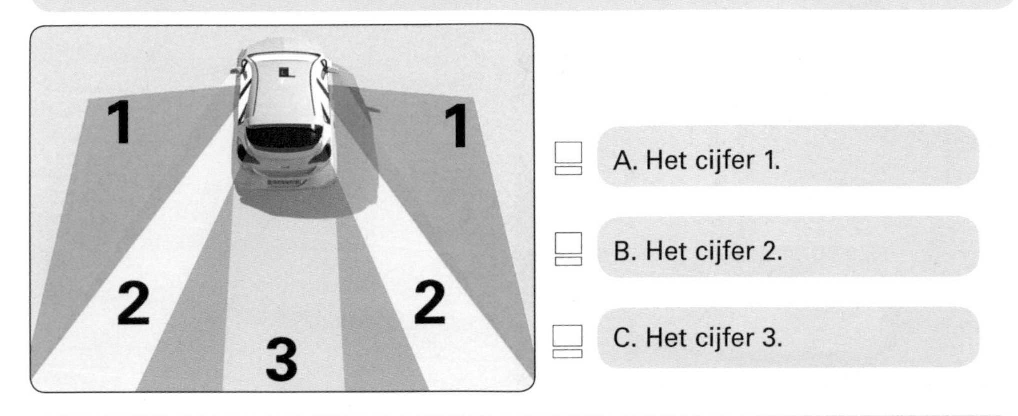

- A. Het cijfer 1.
- B. Het cijfer 2.
- C. Het cijfer 3.

58. Kunt u hier tegelijkertijd een trein van links en van rechts verwachten?

- Ja.
- Nee.

59. Een auto verbruikt het minst aan brandstof:

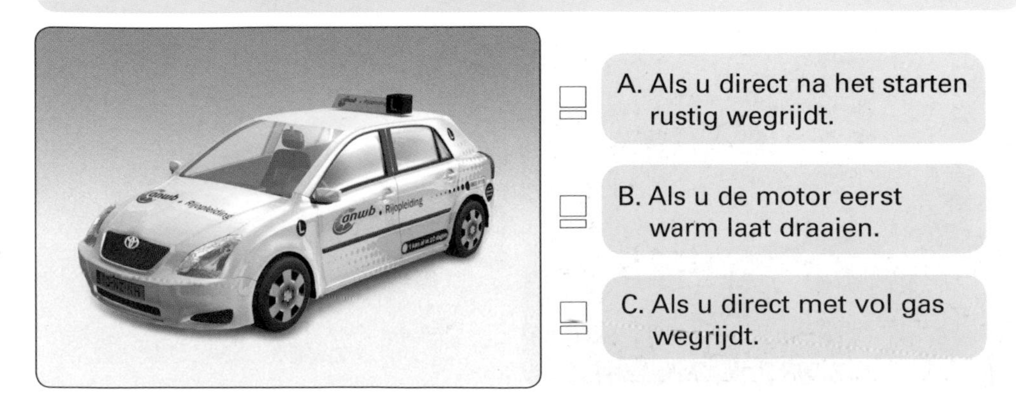

- A. Als u direct na het starten rustig wegrijdt.
- B. Als u de motor eerst warm laat draaien.
- C. Als u direct met vol gas wegrijdt.

60. Welke verlichting is hier gewenst?

- [ ] A. Groot licht.
- [ ] B. Dimlicht.
- [ ] C. Stadslicht.

61. U rijdt de tunnel in. Is het verstandig om nu verlichting te gaan voeren?

- [ ] Ja.
- [ ] Nee.

62. Mag u zo gaan rijden?

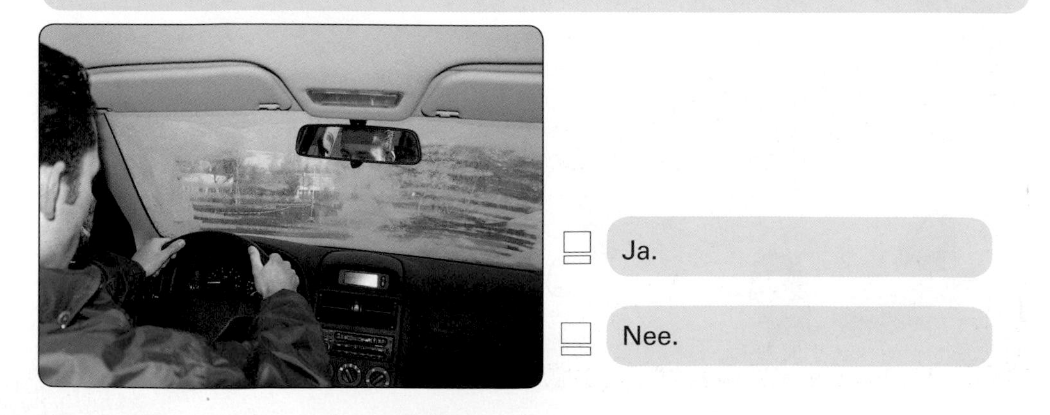

- [ ] Ja.
- [ ] Nee.

63. Is de binnenspiegel zo goed afgesteld?

- [ ] Ja.
- [ ] Nee.

64. U vervoert zo een hond; is dat veilig?

- [ ] Ja.
- [ ] Nee.

65. Er zit een barst in de voorruit; mag u zo gaan rijden?

- [ ] Ja.
- [ ] Nee.

Examen 2

De antwoorden en motivaties vindt u op pagina 231.

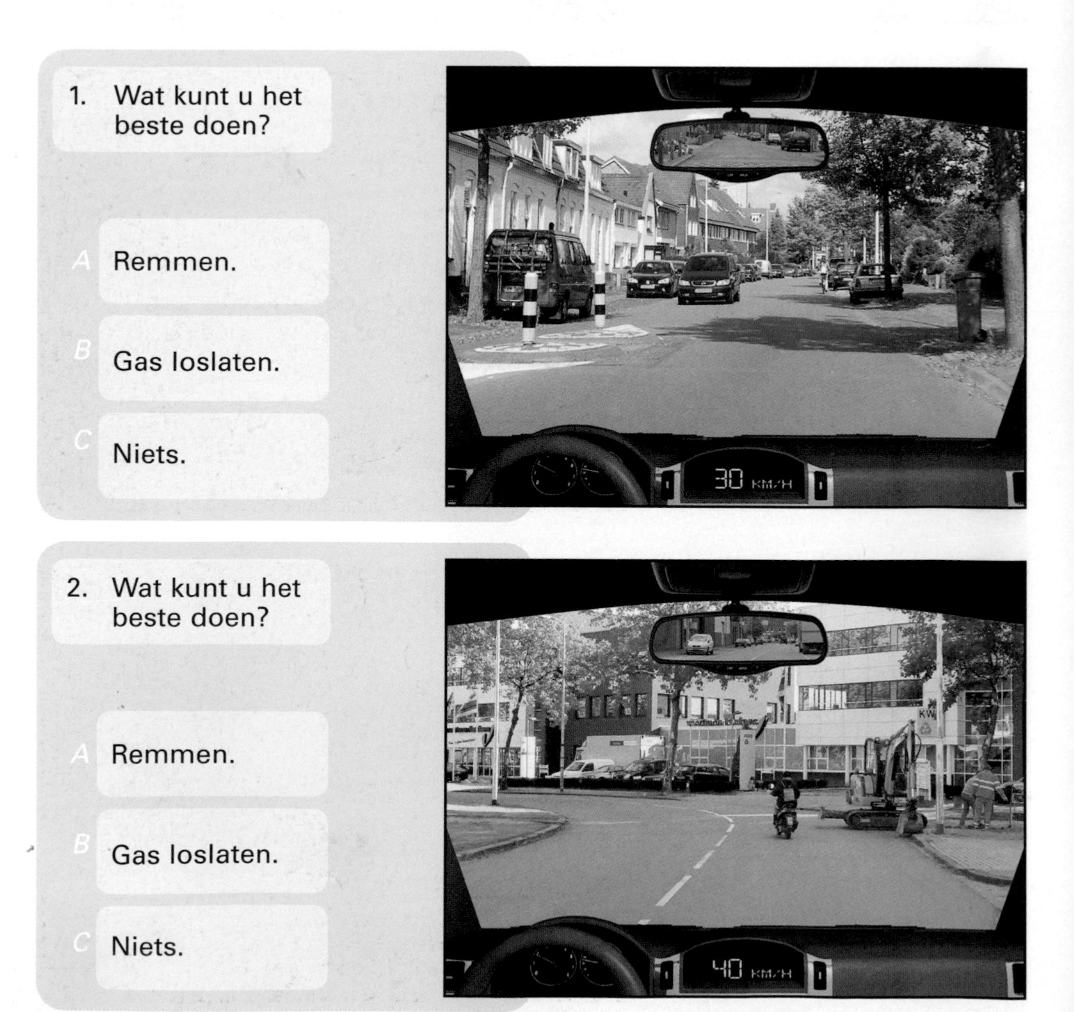

1. Wat kunt u het beste doen?

A Remmen.

B Gas loslaten.

C Niets.

2. Wat kunt u het beste doen?

A Remmen.

B Gas loslaten.

C Niets.

3. Wat kunt u het beste doen?

A Remmen.

B Gas loslaten.

C Niets.

4. Wat kunt u het beste doen?

A Remmen.

B Gas loslaten.

C Niets.

5. Wat kunt u het beste doen?

A Remmen.

B Gas loslaten.

C Niets.

6. Wat kunt u het beste doen?

A Remmen.

B Gas loslaten.

C Niets.

7. Wat kunt u het beste doen?

A Remmen.

B Gas loslaten.

C Niets.

8. Wat kunt u het beste doen?

A Remmen.

B Gas loslaten.

C Niets.

9. Wat kunt u het beste doen?

A Remmen.

B Gas loslaten.

C Niets.

10. Wat kunt u het beste doen?

A Remmen.

B Gas loslaten.

C Niets.

11. Wat kunt u het beste doen?

A Remmen.

B Gas loslaten.

C Niets.

12. Wat kunt u het beste doen?

A Remmen.

B Gas loslaten.

C Niets.

13. Wat kunt u het beste doen?

A Remmen.

B Gas loslaten.

C Niets.

14. Wat kunt u het beste doen?

A Remmen.

B Gas loslaten.

C Niets.

15. Wat kunt u het beste doen?

A Remmen.

B Gas loslaten.

C Niets.

16. Wat kunt u het beste doen?

A Remmen.

B Gas loslaten.

C Niets.

17. Wat kunt u het beste doen?

A Remmen.

B Gas loslaten.

C Niets.

18. Wat kunt u het beste doen?

A Remmen.

B Gas loslaten.

C Niets.

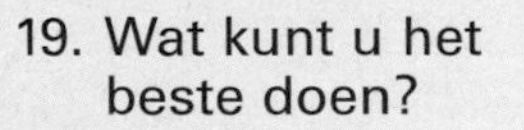
19. Wat kunt u het beste doen?

A Remmen.

B Gas loslaten.

C Niets.

20. Wat kunt u het beste doen?

A Remmen.

B Gas loslaten.

C Niets.

21. Wat kunt u het beste doen?

A Remmen.

B Gas loslaten.

C Niets.

22. Wat kunt u het beste doen?

A Remmen.

B Gas loslaten.

C Niets.

23. Wat kunt u het beste doen?

A Remmen.

B Gas loslaten.

C Niets.

24. Wat kunt u het beste doen?

A Remmen.

B Gas loslaten.

C Niets.

25. Wat kunt u het beste doen?

A Remmen.

B Gas loslaten.

C Niets.

26. De schuine witte strepen op het wegdek betreffen:

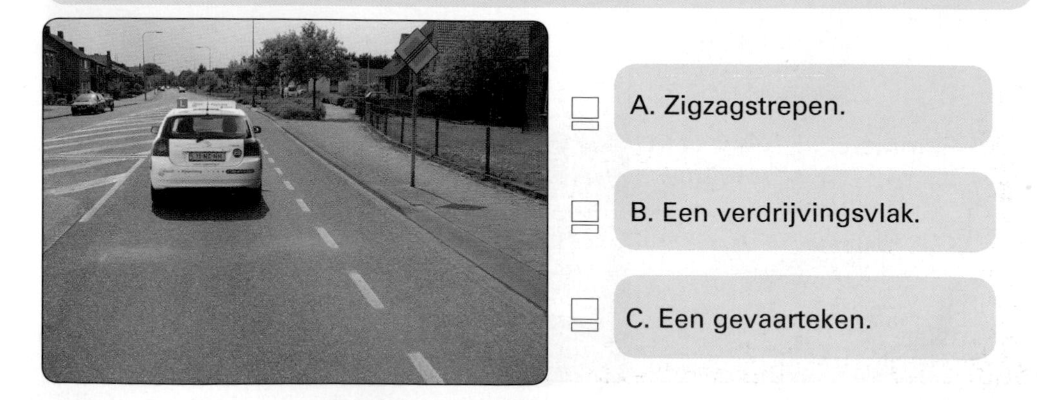

- [ ] A. Zigzagstrepen.
- [ ] B. Een verdrijvingsvlak.
- [ ] C. Een gevaarteken.

27. Mag u de doorgetrokken streep overschrijden om hier de rotonde te verlaten?

- [ ] Ja.
- [ ] Nee.

28. Hoeveel meter mag de lading aan de voorkant van een aanhangwagen uitsteken?

...... meter.

29. Nadert u hier een gevaarlijk kruispunt?

- [ ] Ja.
- [ ] Nee.

examen 2

30. Na het drinken van vijf glazen alcoholische drank bent u ongeveer .... uur onder invloed.

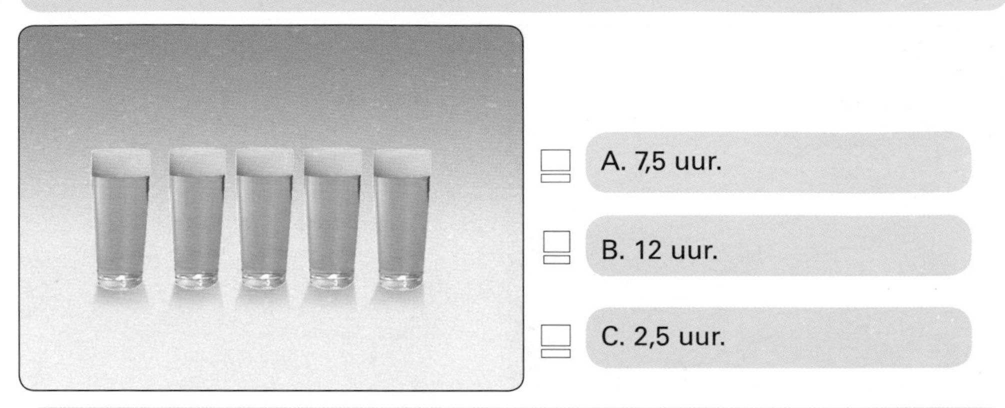

- A. 7,5 uur.
- B. 12 uur.
- C. 2,5 uur.

31. Wat is hier de juiste volgorde van voor laten gaan?

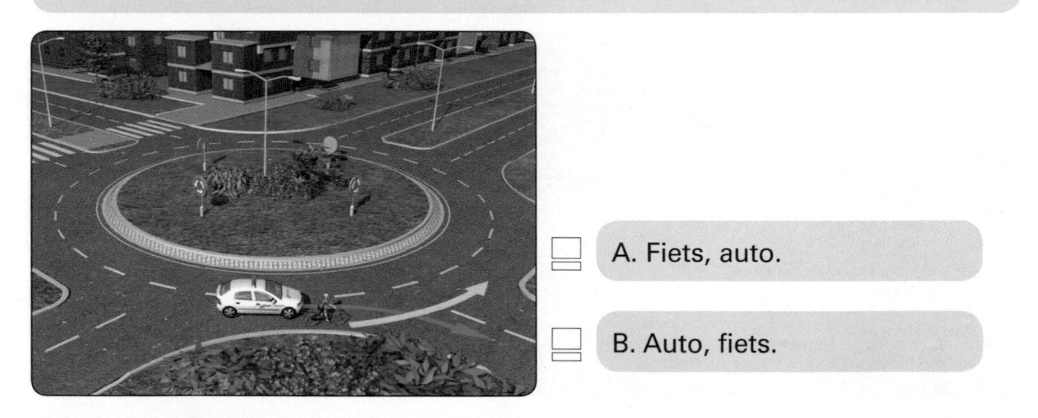

- A. Fiets, auto.
- B. Auto, fiets.

32. Wat betekent dit bord met onderbord?

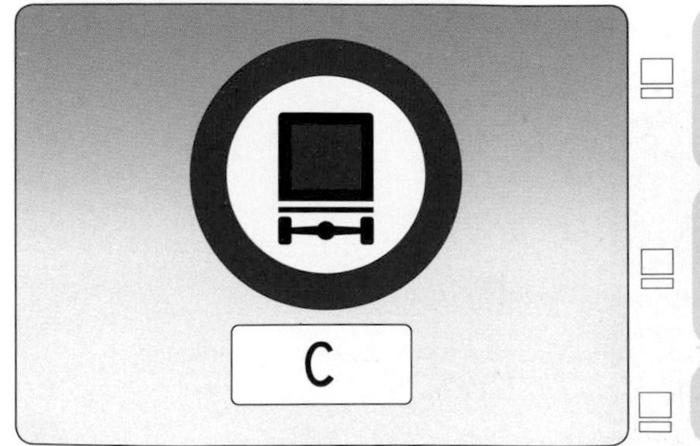

- A. Verboden in te rijden voor vrachtauto's met een zware aslast behorende tot de categorie C.
- B. De tunnel is gesloten voor voertuigen met bepaalde gevaarlijke stoffen. De tunnel behoort tot de categorie C.
- C. Deze C weg is verboden voor vrachtauto's.

33. U wilt rechtdoor. Bent u verplicht om te stoppen?

- [ ] Ja.
- [ ] Nee.

34. Moet u de bestuurder van de rode auto voor laten gaan?

- [ ] Ja.
- [ ] Nee.

35. Rijdt u nu op een voorrangsweg?

- [ ] Ja.
- [ ] Nee.

36. Moet u de bestuurder van de rode auto voor laten gaan?

- ☐ Ja.
- ☐ Nee.

37. Wat is hier de juiste volgorde van voor laten gaan?

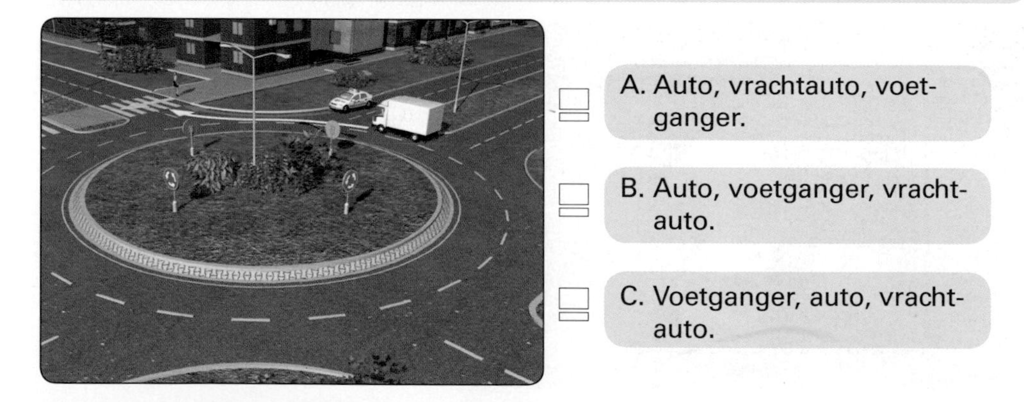

- ☐ A. Auto, vrachtauto, voetganger.
- ☐ B. Auto, voetganger, vrachtauto.
- ☐ C. Voetganger, auto, vrachtauto.

38. Een autobus is een motorvoertuig dat is ingericht voor het vervoer van – met uitzondering van de bestuurder – meer dan:

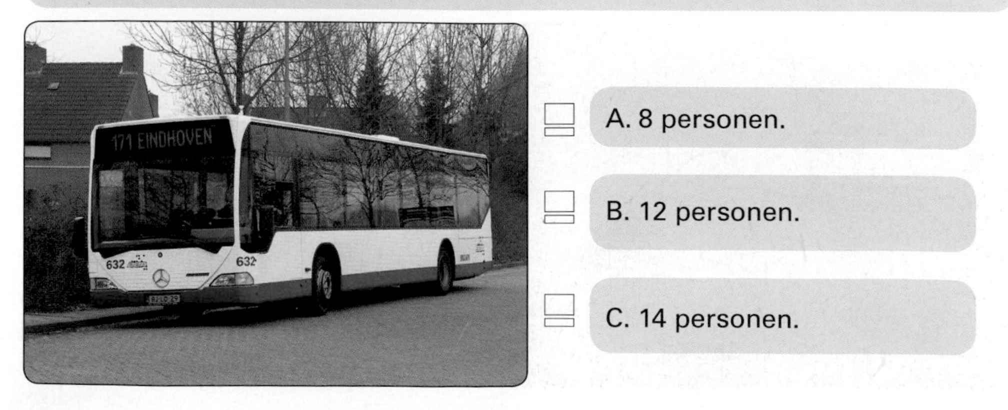

- ☐ A. 8 personen.
- ☐ B. 12 personen.
- ☐ C. 14 personen.

39. U heeft pech. Mag u hier stoppen?

- [ ] Ja.
- [ ] Nee.

40. U nadert dit bord. Wie moeten u uit tegengestelde richting voor laten gaan?

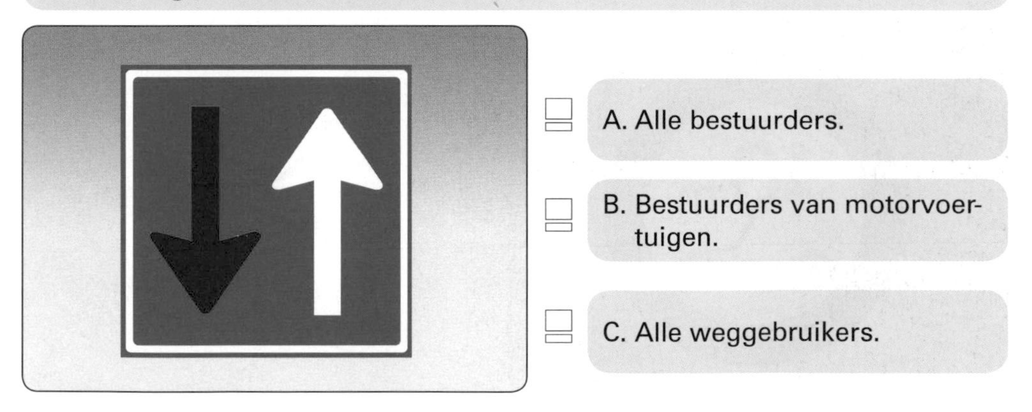

- [ ] A. Alle bestuurders.
- [ ] B. Bestuurders van motorvoertuigen.
- [ ] C. Alle weggebruikers.

41. Na het kruispunt is de maximumsnelheid voor motorvoertuigen:

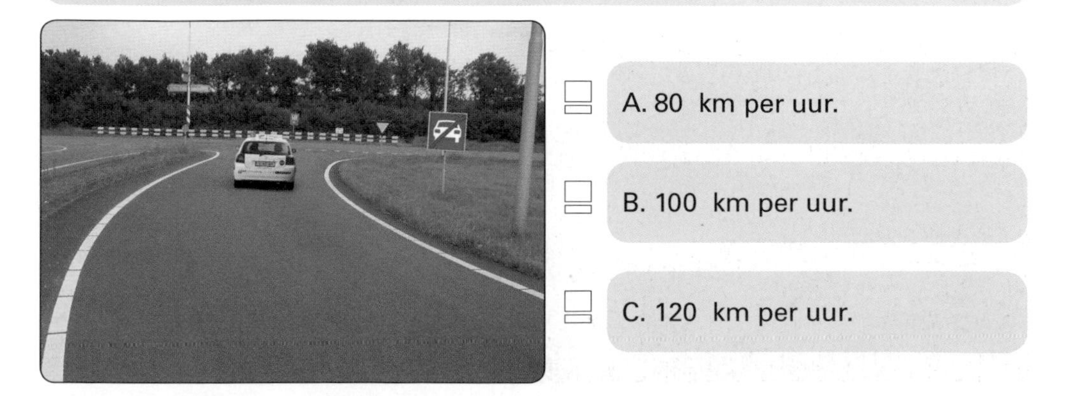

- [ ] A. 80 km per uur.
- [ ] B. 100 km per uur.
- [ ] C. 120 km per uur.

42. U wilt linksaf. Moet u nu stoppen?

- Ja.
- Nee.

43. U mag bij dit bord doorrijden indien:

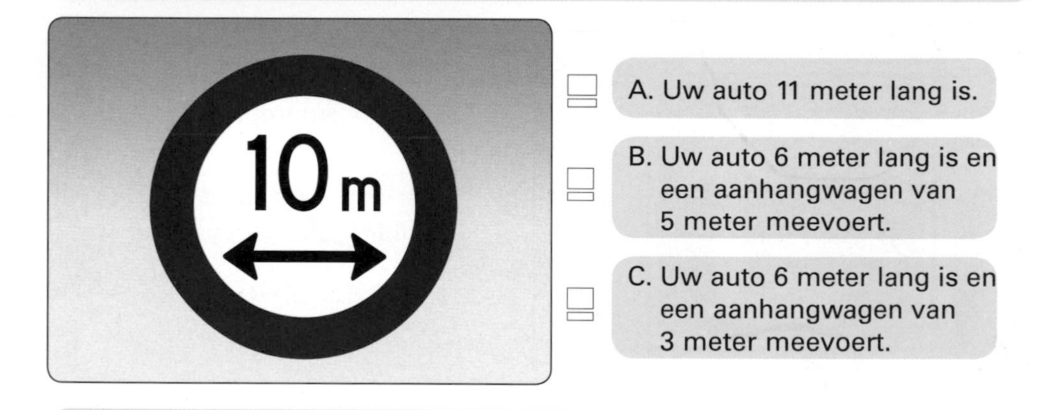

- A. Uw auto 11 meter lang is.
- B. Uw auto 6 meter lang is en een aanhangwagen van 5 meter meevoert.
- C. Uw auto 6 meter lang is en een aanhangwagen van 3 meter meevoert.

44. Mag u hier uw auto parkeren?

- Ja.
- Nee.

45. Mag u met uw auto naast een busstrook parkeren?

- [ ] Ja.
- [ ] Nee.

46. Binnen welke afstand van een voetgangersoversteekplaats mag u niet stilstaan?

...... meter.

47. Mag u bij de bushalte uw auto parkeren?

- [ ] Ja.
- [ ] Nee.

48. Mag u de tram nu links inhalen?

- [ ] Ja.
- [ ] Nee.

49. Mag u de rode auto hier links inhalen?

- [ ] Ja.
- [ ] Nee.

50. Mag u hier 120 km per uur rijden?

- [ ] Ja.
- [ ] Nee.

51. Wat is hier de juiste volgorde van voor laten gaan?

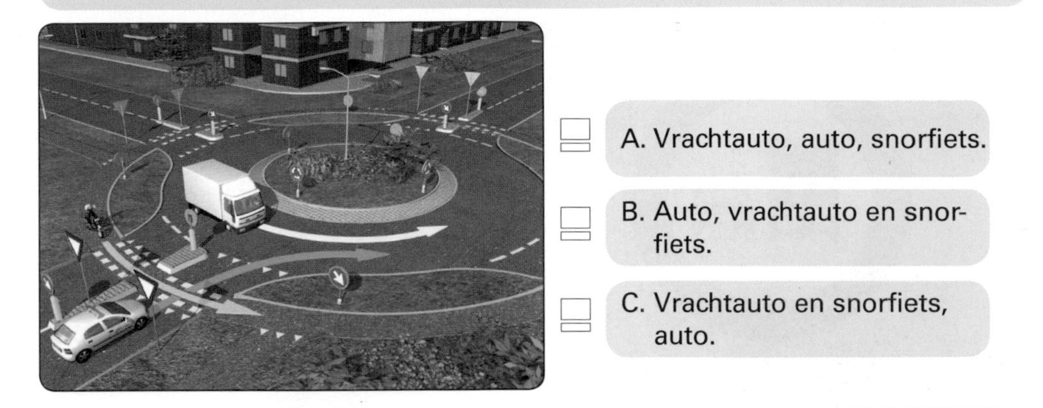

- [ ] A. Vrachtauto, auto, snorfiets.
- [ ] B. Auto, vrachtauto en snorfiets.
- [ ] C. Vrachtauto en snorfiets, auto.

52. U bent verkeerd gereden. Mag u achteruitrijden?

- [ ] Ja.
- [ ] Nee.

53. Mag u overdag groot licht voeren?

- [ ] Ja.
- [ ] Nee.

54. Voor wie is het verboden om in te halen bij dit bord?

A. Voor bestuurders van een autobus.

B. Voor bestuurders van een vrachtauto.

C. Voor voor bestuurders van een brommobiel.

55. Dit bord betekent:

A. Adviessnelheid op een elektronisch signaleringsbord.

B. Minimumsnelheid op een elektronisch signaleringsbord.

C. Maximumsnelheid op een elektronisch signaleringsbord.

56. Voordat u invoegt moet u eerst:

A. Links opzij kijken.

B. In de linker buitenspiegel en links opzij kijken.

C. In de binnen- en linker buitenspiegel kijken en links opzij kijken.

57. Heeft een open raam tijdens het rijden invloed op het brandstof-verbruik?

- [ ] Ja.
- [ ] Nee.

58. Als de zon laag staat is het veiliger om:

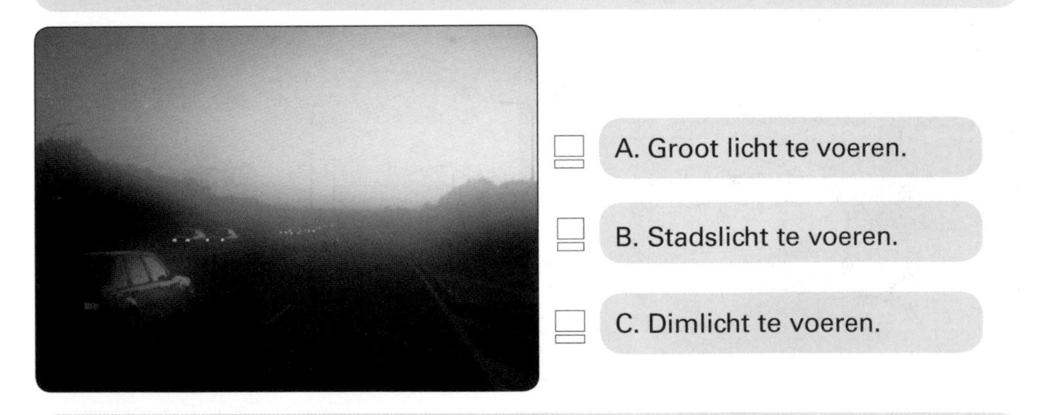

- [ ] A. Groot licht te voeren.
- [ ] B. Stadslicht te voeren.
- [ ] C. Dimlicht te voeren.

59. U staat vlak na de top van een helling geparkeerd. Is dat verstandig?

- [ ] Ja.
- [ ] Nee.

60. U wilt gaan rijden en doet het portier op slot; is dat verstandig?

- [ ] Ja.
- [ ] Nee.

61. Voordat u wegrijdt laat u de motor stationair warmdraaien; is dat milieubewust?

- [ ] Ja.
- [ ] Nee.

62. Moet u regelmatig het motoroliepeil van uw auto controleren?

- [ ] Ja.
- [ ] Nee.

63. Moet u hier rekening houden met slipgevaar?

- Ja.
- Nee.

64. Moet u het bonnetje uit de parkeerautomaat bij u houden voor controle?

- Ja.
- Nee.

65. U wilt invoegen; hoe kunt u dat het beste doen?

- A. Snelheid minderen en achter de vrachtauto invoegen.
- B. Snelheid opvoeren en voor de vrachtauto invoegen.
- C. Doorrijden tot het eind van de invoegstrook en daar een keuze maken hoe het beste kan worden ingevoegd.

Examen 3

De antwoorden en motivaties vindt u op pagina 236.

1. Wat kunt u het beste doen?

A Remmen.

B Gas loslaten.

C Niets.

2. Wat kunt u het beste doen?

A Remmen.

B Gas loslaten.

C Niets.

3. Wat kunt u het beste doen?

A Remmen.

B Gas loslaten.

C Niets.

4. Wat kunt u het beste doen?

A Remmen.

B Gas loslaten.

C Niets.

5. Wat kunt u het beste doen?

A Remmen.

B Gas loslaten.

C Niets.

6. Wat kunt u het beste doen?

A Remmen.

B Gas loslaten.

C Niets.

7. Wat kunt u het beste doen?

A Remmen.

B Gas loslaten.

C Niets.

8. Wat kunt u het beste doen?

A Remmen.

B Gas loslaten.

C Niets.

9. Wat kunt u het beste doen?

A Remmen.

B Gas loslaten.

C Niets.

10. Wat kunt u het beste doen?

A Remmen.

B Gas loslaten.

C Niets.

11. Wat kunt u het beste doen?

A Remmen.

B Gas loslaten.

C Niets.

12. Wat kunt u het beste doen?

A Remmen.

B Gas loslaten.

C Niets.

13. Wat kunt u het beste doen?

A Remmen.

B Gas loslaten.

C Niets.

14. Wat kunt u het beste doen?

A Remmen.

B Gas loslaten.

C Niets.

15. Wat kunt u het beste doen?

A Remmen.

B Gas loslaten.

C Niets.

16. Wat kunt u het beste doen?

A Remmen.

B Gas loslaten.

C Niets.

17. Wat kunt u het beste doen?

A Remmen.

B Gas loslaten.

C Niets.

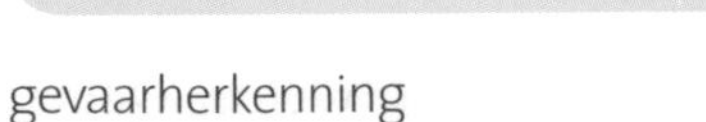

18. Wat kunt u het beste doen?

A Remmen.

B Gas loslaten.

C Niets.

19. Wat kunt u het beste doen?

A Remmen.

B Gas loslaten.

C Niets.

20. Wat kunt u het beste doen?

A Remmen.

B Gas loslaten.

C Niets.

21. Wat kunt u het beste doen?

A Remmen.

B Gas loslaten.

C Niets.

22. Wat kunt u het beste doen?

A Remmen.

B Gas loslaten.

C Niets.

23. Wat kunt u het beste doen?

A Remmen.

B Gas loslaten.

C Niets.

24. Wat kunt u het beste doen?

A Remmen.

B Gas loslaten.

C Niets.

25. Wat kunt u het beste doen?

A Remmen.

B Gas loslaten.

C Niets.

26. Wat is hier de juiste volgorde van voor laten gaan?

- [ ] A. Tram, militaire colonne, auto.
- [ ] B. Militaire colonne, tram, auto.
- [ ] C. Militaire colonne, auto, tram.

27. Het verkeersbord betekent:

- [ ] A. Gesloten voor alle weggebruikers.
- [ ] B. Gesloten voor vracht-auto's.
- [ ] C. Eénrichtingsweg, in deze richting gesloten voor voertuigen, ruiters en geleiders van rij- of trekdieren of vee.

28. Het gele licht knippert, dit betekent:

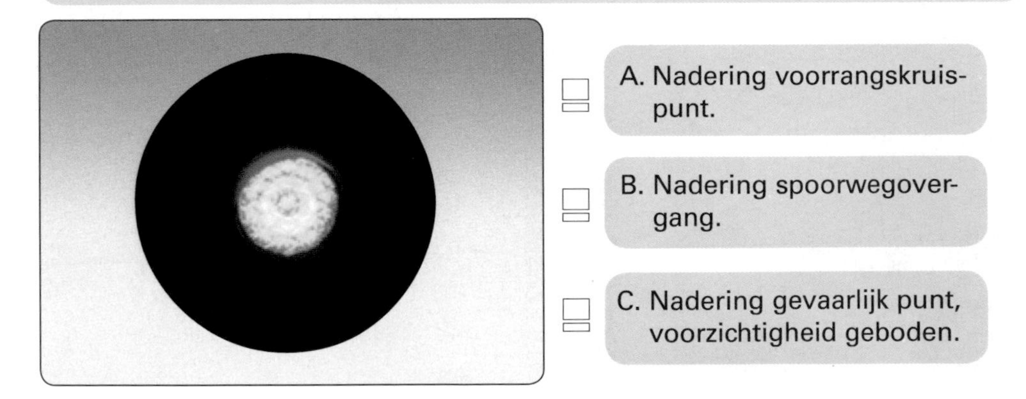

- [ ] A. Nadering voorrangskruispunt.
- [ ] B. Nadering spoorwegovergang.
- [ ] C. Nadering gevaarlijk punt, voorzichtigheid geboden.

29. Bent u tijdens het rijden verplicht een autogordel te dragen?

- [ ] Ja.
- [ ] Nee.

30. Wat is hier de juiste volgorde van voor laten gaan?

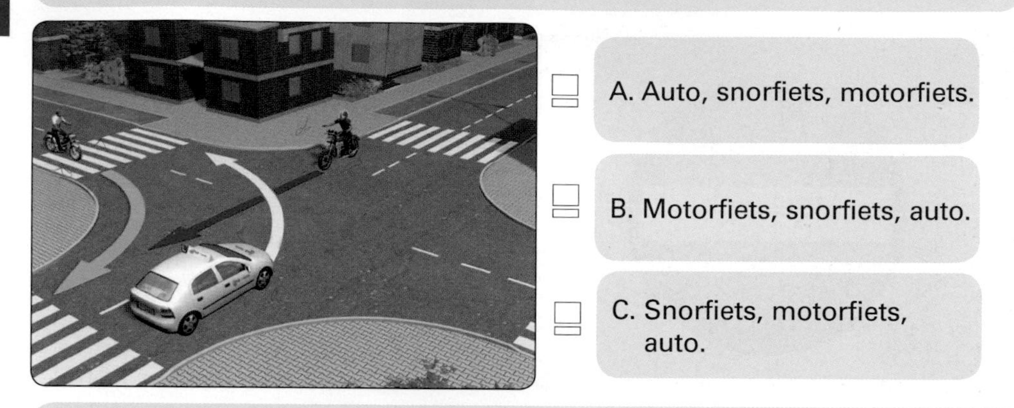

- A. Auto, snorfiets, motorfiets.
- B. Motorfiets, snorfiets, auto.
- C. Snorfiets, motorfiets, auto.

31. Wat is hier de juiste volgorde van voor laten gaan (de brandweerauto voert geen optische- en geluidssignalen)?

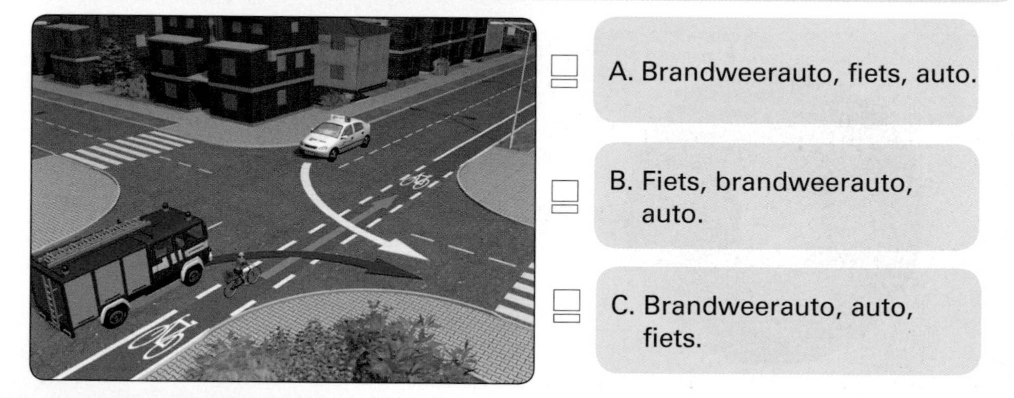

- A. Brandweerauto, fiets, auto.
- B. Fiets, brandweerauto, auto.
- C. Brandweerauto, auto, fiets.

32. De personenauto weegt 1500 kg en de aanhangwagen mag inclusief lading 1750 kg wegen; wat is hier de maximumsnelheid voor deze combinatie?

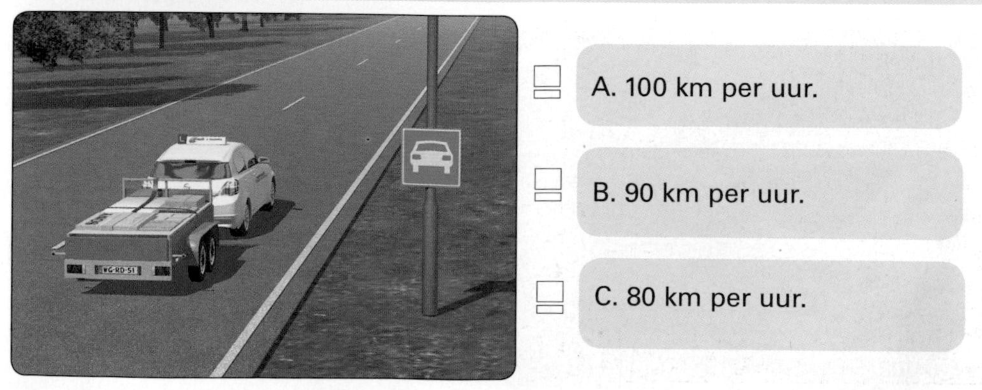

- A. 100 km per uur.
- B. 90 km per uur.
- C. 80 km per uur.

33. Moet u de bestuurder van de rode auto voor laten gaan?

- ☐ Ja.
- ☐ Nee.

34. Moet u de bestuurder van de rode auto voor laten gaan?

- ☐ Ja.
- ☐ Nee.

35. U gaat linksaf. Moet u de voetganger voor laten gaan?

- ☐ Ja.
- ☐ Nee.

36. U wilt rechtdoor. Mag dat?

☐ Ja.

☐ Nee.

37. Op welke afstand moet een gevarendriehoek goed zichtbaar op de rijbaan worden geplaatst?

.... meter.

38. Moet u de voetganger voor laten gaan?

☐ Ja.

☐ Nee.

39. Wat is hier de juiste volgorde van voor laten gaan?

- A. Auto, fiets.
- B. Fiets, auto.

40. Kunt u nu een trein verwachten?

- Ja.
- Nee.

41. Bij dit bord is een verbod voor:

- A. Motorvoertuigen om elkaar onderling in te halen.
- B. Motorvoertuigen op meer dan twee wielen om elkaar onderling in te halen.
- C. Voertuigen op meer dan twee wielen om elkaar onderling in te halen.

42. De rode auto gaat linksaf. U gaat rechtsaf. Mag u eerst?

- [ ] Ja.
- [ ] Nee.

43. Dit bord betekent:

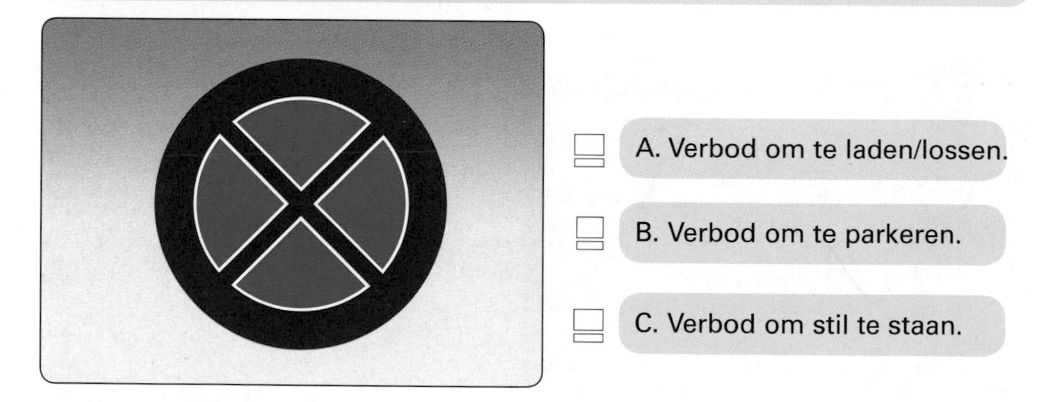

- [ ] A. Verbod om te laden/lossen.
- [ ] B. Verbod om te parkeren.
- [ ] C. Verbod om stil te staan.

44. Mag u met uw auto hier stilstaan om een passagier in te laten stappen?

- [ ] Ja.
- [ ] Nee.

45. Mag u zo uw auto voor de voetgangersoversteekplaats parkeren?

- [ ] Ja.
- [ ] Nee.

46. Mag u bij de bushalte uw auto parkeren?

- [ ] Ja.
- [ ] Nee.

47. Mag u hier parkeren?

- [ ] Ja.
- [ ] Nee.

48. Moet u de voetganger voor laten gaan?

- [ ] Ja.
- [ ] Nee.

49. Mag u de tram hier links inhalen?

- [ ] Ja.
- [ ] Nee.

50. Hoever mag aan beide zijden de lading uitsteken?

..... centimeter.

51. Mag de bestuurder van de bromfiets u rechts inhalen?

- [ ] Ja.
- [ ] Nee.

52. U weet niet zeker of u de juiste autoweg bent opgereden. Mag u stoppen om op de vluchtstrook de landkaart te raadplegen?

- [ ] Ja.
- [ ] Nee.

53. Dit bord betekent:

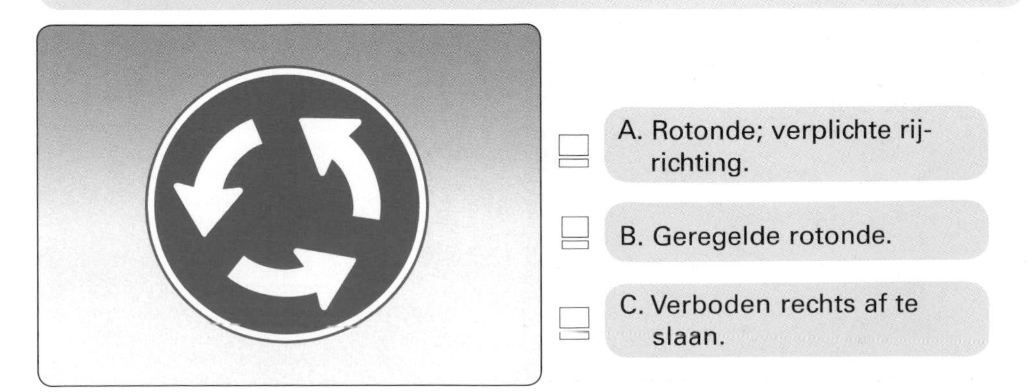

- [ ] A. Rotonde; verplichte rijrichting.
- [ ] B. Geregelde rotonde.
- [ ] C. Verboden rechts af te slaan.

54. Moet u stoppen om het voorrangsvoertuig voor te laten gaan?

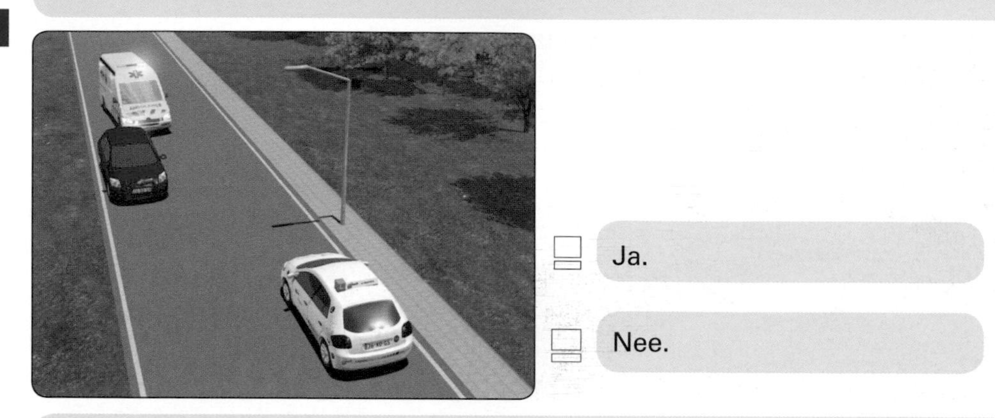

- [ ] Ja.
- [ ] Nee.

55. U wilt links afslaan. Sorteert u zo goed voor?

- [ ] Ja.
- [ ] Nee.

56. Is het verstandig dat u hier 50 km per uur blijft rijden?

- [ ] Ja.
- [ ] Nee.

57. Mag u hier uitvoegen?

- A. Nee, de doorgetrokken witte streep mag niet overschreden worden.
- B. Ja, de gele blokmarkering gaat boven de witte doorgetrokken streep.

58. Voor de beste bescherming moet de bovenkant van de hoofdsteun zijn afgesteld ter hoogte van:

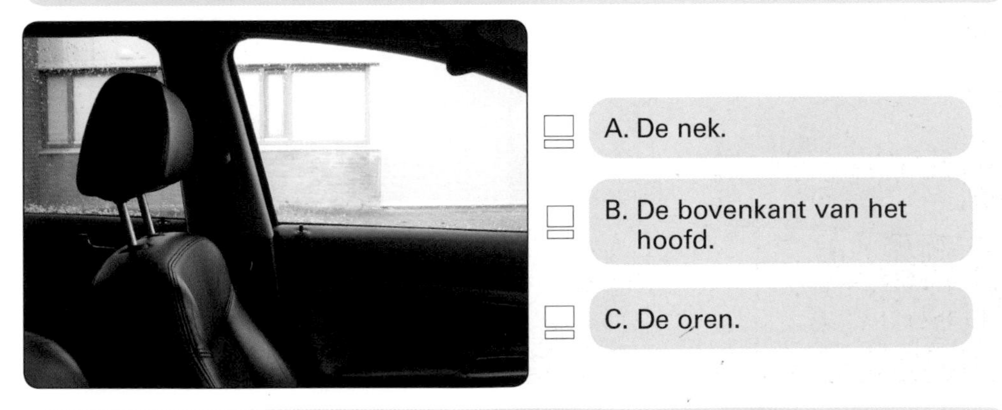

- A. De nek.
- B. De bovenkant van het hoofd.
- C. De oren.

59. Het regelmatig controleren van de juiste bandenspanning is o.a. belangrijk voor het brandstofverbruik. Een te lage bandenspanning:

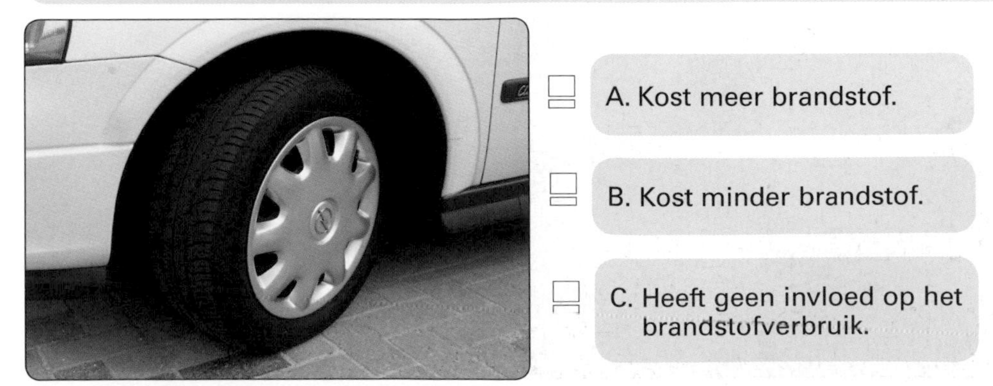

- A. Kost meer brandstof.
- B. Kost minder brandstof.
- C. Heeft geen invloed op het brandstofverbruik.

60. Welke rijstijl kost het minste brandstof?

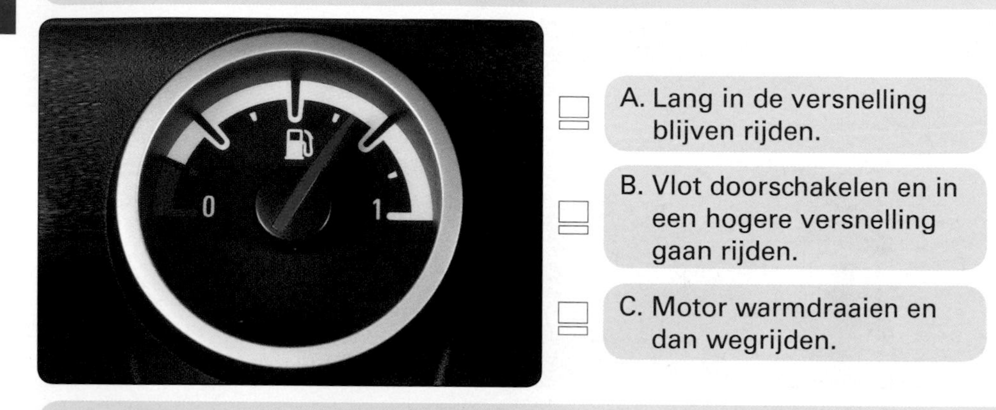

- [ ] A. Lang in de versnelling blijven rijden.
- [ ] B. Vlot doorschakelen en in een hogere versnelling gaan rijden.
- [ ] C. Motor warmdraaien en dan wegrijden.

61. Houdt u bij deze inhaalmanoeuvre voldoende zijdelingse afstand?

- [ ] Ja.
- [ ] Nee.

62. U vervoert zo een hond; is dat verstandig?

- [ ] Ja.
- [ ] Nee.

63. U rijdt op een rijbaan waar u geen motorvoertuigen mag inhalen en u rijdt tussen twee vrachtauto's; wat kunt u het beste doen?

- [ ] A. Vooral voldoende tussenafstand houden met de voorligger en de snelheid daaraan zoveel mogelijk aanpassen.
- [ ] B. De tussenafstand extra vergroten en langzamer gaan rijden.
- [ ] C. Proberen ergens te stoppen om de achter rijdende vrachtauto voorbij te laten gaan.

64. Behoort een verbanddoos tot de verplichte inrichtingseisen van een auto?

- [ ] Ja.
- [ ] Nee.

65. Mag een trekhaak zo zijn aangebracht?

- [ ] Ja.
- [ ] Nee.

Examen 4

examen 4

De antwoorden en motivaties vindt u op pagina 241.

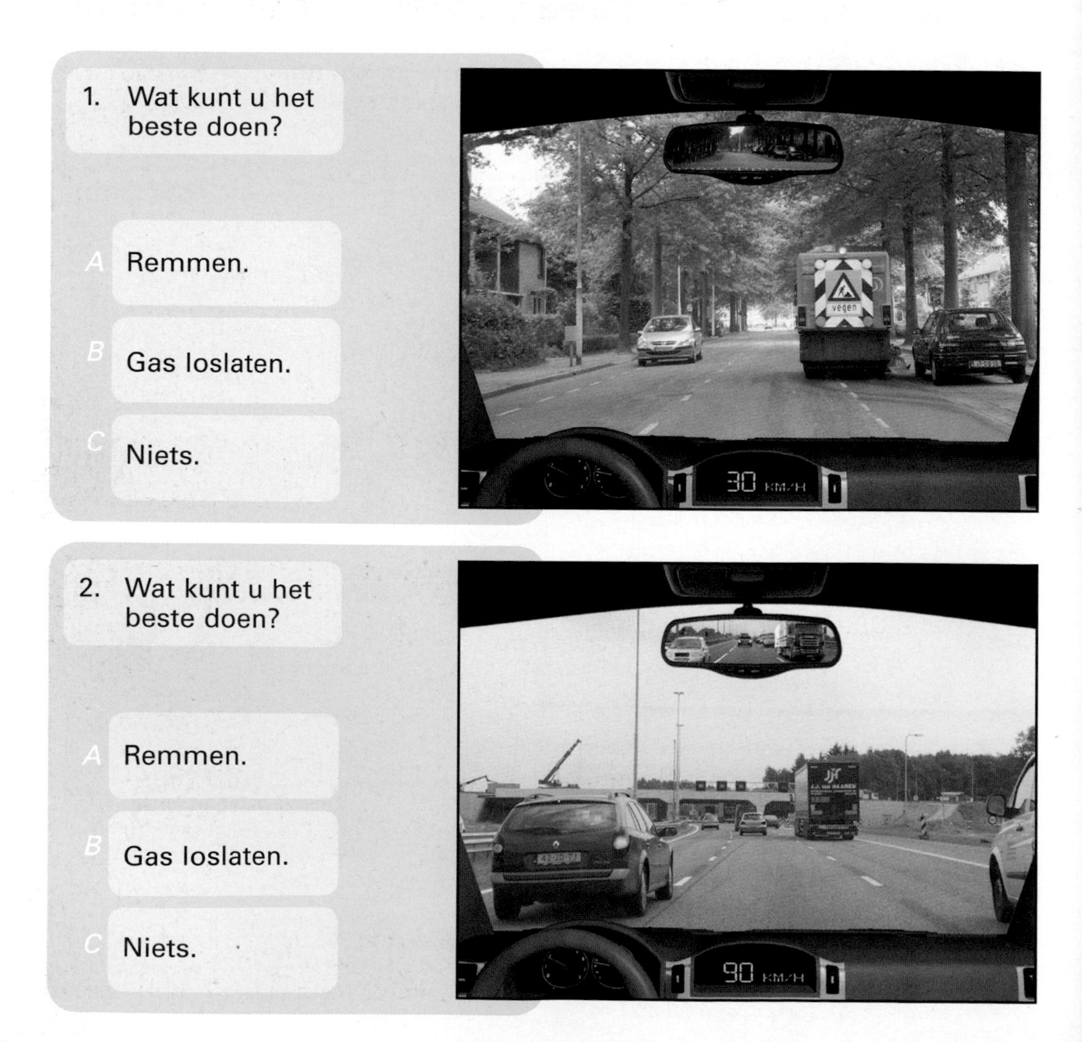

1. Wat kunt u het beste doen?

A Remmen.

B Gas loslaten.

C Niets.

2. Wat kunt u het beste doen?

A Remmen.

B Gas loslaten.

C Niets.

3. Wat kunt u het beste doen?

A Remmen.

B Gas loslaten.

C Niets.

4. Wat kunt u het beste doen?

A Remmen.

B Gas loslaten.

C Niets.

5. Wat kunt u het beste doen?

A Remmen.

B Gas loslaten.

C Niets.

6. Wat kunt u het beste doen?

A Remmen.

B Gas loslaten.

C Niets.

7. Wat kunt u het beste doen?

A Remmen.

B Gas loslaten.

C Niets.

8. Wat kunt u het beste doen?

A Remmen.

B Gas loslaten.

C Niets.

9. Wat kunt u het beste doen?

A Remmen.

B Gas loslaten.

C Niets.

10. Wat kunt u het beste doen?

A Remmen.

B Gas loslaten.

C Niets.

11. Wat kunt u het beste doen?

A Remmen.

B Gas loslaten.

C Niets.

12. Wat kunt u het beste doen?

A Remmen.

B Gas loslaten.

C Niets.

13. Wat kunt u het beste doen?

A Remmen.

B Gas loslaten.

C Niets.

14. Wat kunt u het beste doen?

A Remmen.

B Gas loslaten.

C Niets.

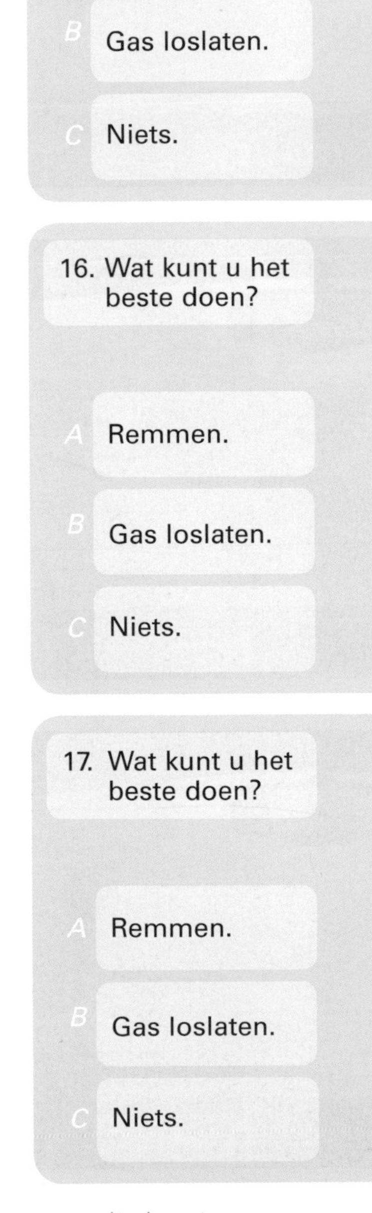

15. Wat kunt u het beste doen?

A Remmen.

B Gas loslaten.

C Niets.

16. Wat kunt u het beste doen?

A Remmen.

B Gas loslaten.

C Niets.

17. Wat kunt u het beste doen?

A Remmen.

B Gas loslaten.

C Niets.

18. Wat kunt u het beste doen?

A Remmen.

B Gas loslaten.

C Niets.

19. Wat kunt u het beste doen?

A Remmen.

B Gas loslaten.

C Niets.

20. Wat kunt u het beste doen?

A Remmen.

B Gas loslaten.

C Niets.

21. Wat kunt u het beste doen?

A Remmen.

B Gas loslaten.

C Niets.

22. Wat kunt u het beste doen?

A Remmen.

B Gas loslaten.

C Niets.

23. Wat kunt u het beste doen?

A Remmen.

B Gas loslaten.

C Niets.

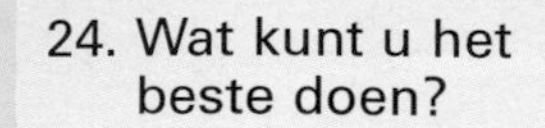

24. Wat kunt u het beste doen?

A Remmen.

B Gas loslaten.

C Niets.

25. Wat kunt u het beste doen?

A Remmen.

B Gas loslaten.

C Niets.

26. Wat is hier de juiste volgorde van voor laten gaan?

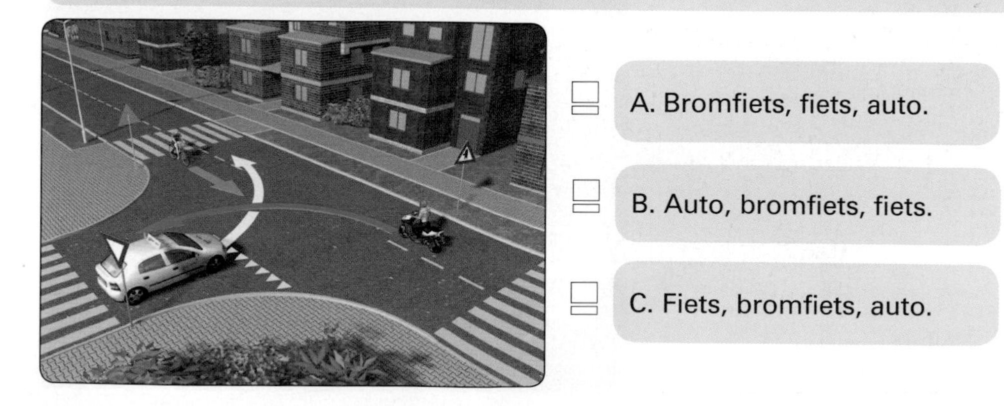

A. Bromfiets, fiets, auto.

B. Auto, bromfiets, fiets.

C. Fiets, bromfiets, auto.

27. Mag u de kantstreep overschrijden om rechts af te slaan?

- Ja.
- Nee.

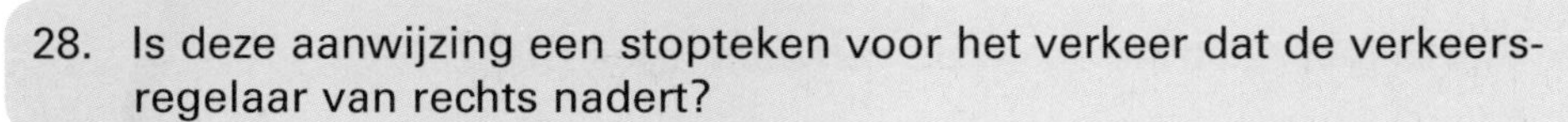

28. Is deze aanwijzing een stopteken voor het verkeer dat de verkeers-regelaar van rechts nadert?

- Ja.
- Nee.

29. Bij dit bord is het verboden:

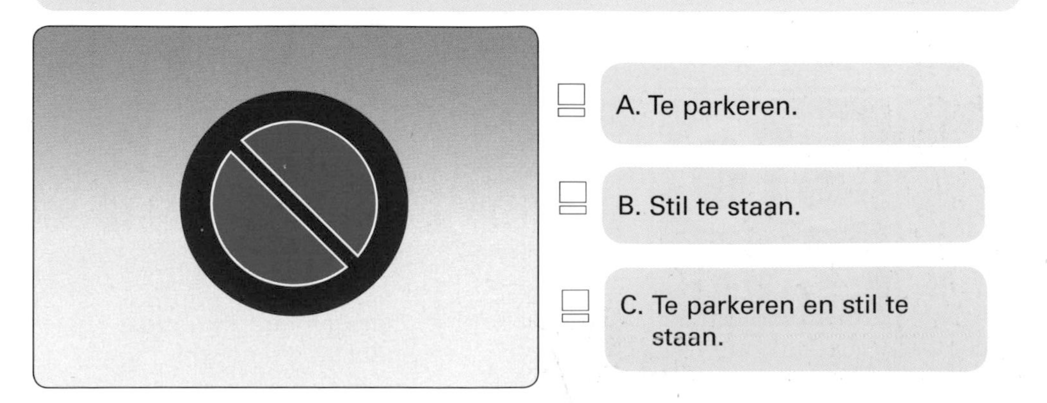

- A. Te parkeren.
- B. Stil te staan.
- C. Te parkeren en stil te staan.

30. De maximumsnelheid op deze autosnelweg is:

..... km per uur.

31. Wat is hier de juiste volgorde van voor laten gaan?

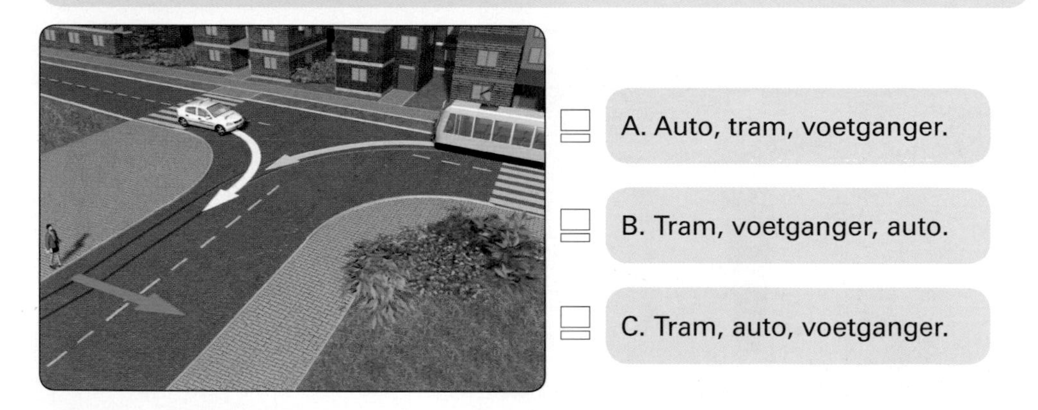

- A. Auto, tram, voetganger.
- B. Tram, voetganger, auto.
- C. Tram, auto, voetganger.

32. De betekenis van dit bord is:

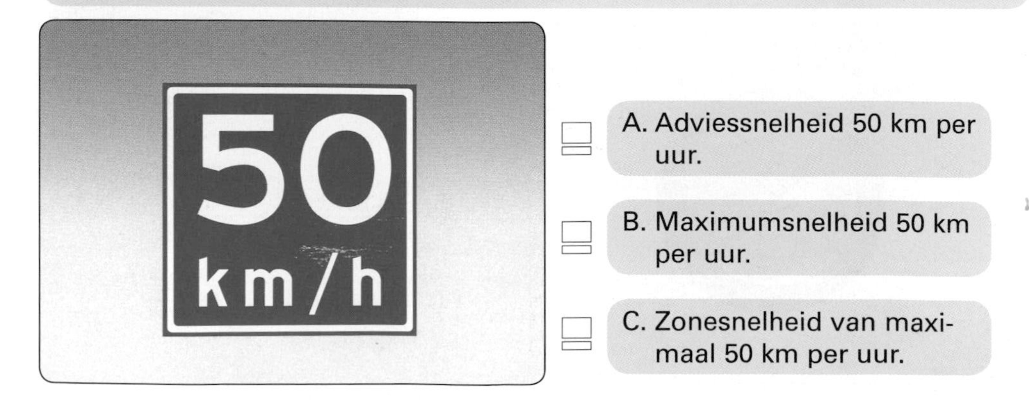

- A. Adviessnelheid 50 km per uur.
- B. Maximumsnelheid 50 km per uur.
- C. Zonesnelheid van maximaal 50 km per uur.

33. U hebt vier glazen bier gedronken. Mag u nu gaan rijden?

- [ ] Ja.
- [ ] Nee.

34. Mag deze bestuurder een mobiele telefoon vasthouden?

- [ ] Ja.
- [ ] Nee.

35. Wat is hier de juiste volgorde van voor laten gaan (de brandweerauto voert geen optische- en geluidssignalen)?

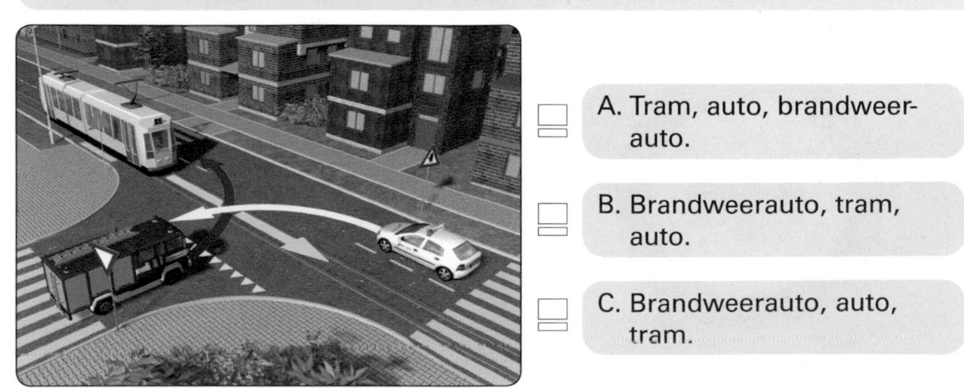

- [ ] A. Tram, auto, brandweerauto.
- [ ] B. Brandweerauto, tram, auto.
- [ ] C. Brandweerauto, auto, tram.

36. Hebt u voorrang op de fietser?

☐ Ja.

☐ Nee.

37. Hier vervangen tijdelijk de:

☐ A. Witte strepen op de weg de functie van de gele.

☐ B. Gele strepen op de weg de functie van de witte.

38. Bij een weg waar dit bord in beide richtingen is geplaatst kunt u het volgende verwachten:

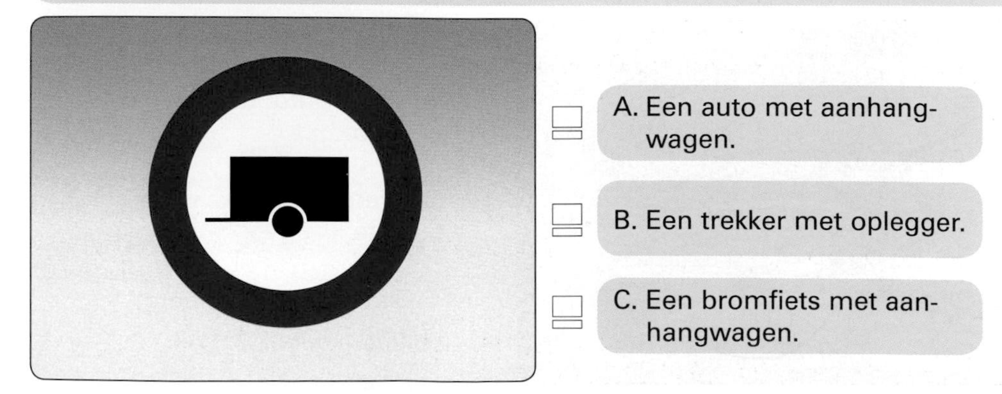

☐ A. Een auto met aanhangwagen.

☐ B. Een trekker met oplegger.

☐ C. Een bromfiets met aanhangwagen.

39. Verlaat u nu een uitrit?

- ☐ Ja.
- ☐ Nee.

40. Hoeveel sporen kunt u bij deze overweg verwachten?

- ☐ A. Een.
- ☐ B. Twee.
- ☐ C. Twee of meer.

41. Kunt u nu een trein verwachten?

- ☐ Ja.
- ☐ Nee.

42. Uw op diesel rijdende auto moet APK gekeurd worden als deze ouder is dan:

..... jaar.

43. Mag u hier de doorgetrokken streep overschrijden?

- Ja.
- Nee.

44. Mag u na dit bord op de rijbaan van een voorrangsweg parkeren?

- Ja.
- Nee.

45. Mag u hier stilstaan om goederen te lossen?

☐ Ja.

☐ Nee.

46. Mag u hier stilstaan om een passagier in te laten stappen?

☐ Ja.

☐ Nee.

47. Mag u hier buiten de bebouwde kom in de berm parkeren?

☐ Ja.

☐ Nee.

48. U bent achteruit aan het fileparkeren. Moet u de fietser voor laten gaan?

- ☐ Ja.
- ☐ Nee.

49. U hebt pech en kunt niet meer doorrijden. Moet u nu uw gevarendriehoek plaatsen en/of uw waarschuwingslichten gebruiken?

- ☐ Ja.
- ☐ Nee.

50. Mag u hier de rode auto inhalen?

- ☐ Ja.
- ☐ Nee.

51. Moet u hier dimlicht voeren?

- [ ] Ja.
- [ ] Nee.

52. Mag u de rode auto hier inhalen?

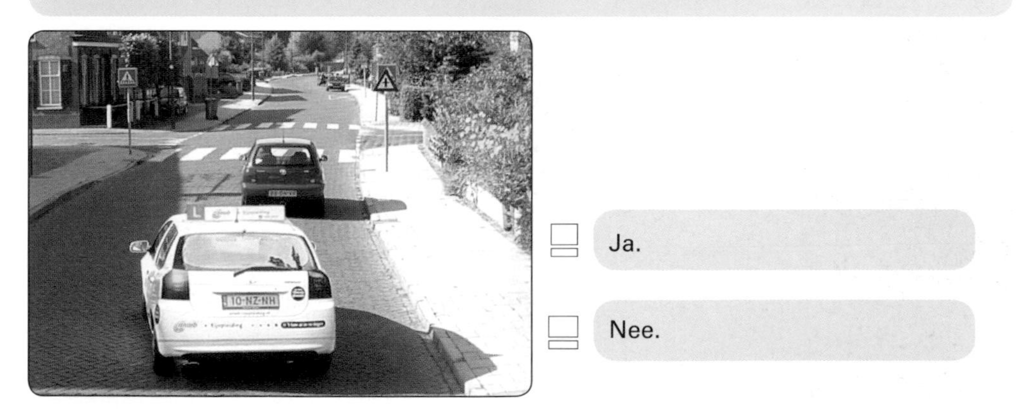

- [ ] Ja.
- [ ] Nee.

53. U gaat rechtdoor. De bestuurder van de ambulance, met optische- en geluidssignalen, gaat linksaf. Moet u de ambulance voor laten gaan?

- [ ] Ja.
- [ ] Nee.

54. Mag u op de vluchtstrook stoppen om met uw mobiele telefoon de ANWB-wegenwacht te bellen omdat u pech met uw auto hebt?

- [ ] Ja.
- [ ] Nee.

55. U wilt links afslaan; moet u de inhalende politieauto, met optische- en geluidssignalen, voor laten gaan?

- [ ] Ja.
- [ ] Nee.

56. Is het verstandig om regelmatig uw bandenspanning te controleren?

- [ ] Ja.
- [ ] Nee.

57. Moet u in de bocht zo veel mogelijk rechts houden?

- [ ] Ja.
- [ ] Nee.

58. U nadert een tegenliggende personenauto die zijn inhaalpoging onderschat heeft; wat kunt u het beste doen?

- [ ] A. De tegenligger met lichtsignalen waarschuwen en eventueel hard remmen.
- [ ] B. Indien er voldoende ruimte achter u is, direct de berm insturen en vervolgens hard remmen.
- [ ] C. Indien er voldoende ruimte achter u is, hard remmen en eventueel uitwijken naar de berm.

59. Is het verstandig om brandwonden onder de kraan af te koelen?

- [ ] Ja.
- [ ] Nee.

60. Staat u zo juist op de vluchtstrook?

- ☐ Ja.
- ☐ Nee.

61. Is het voeren van verlichting hier gewenst?

- ☐ Ja.
- ☐ Nee.

62. Voor het parkeren in een parkeergarage moet u:

- ☐ A. Vooraf betalen voor de gewenste parkeertijd.
- ☐ B. Achteraf betalen voor de gebruikte parkeertijd.

63. Mag u roken in de nabijheid van een accu?

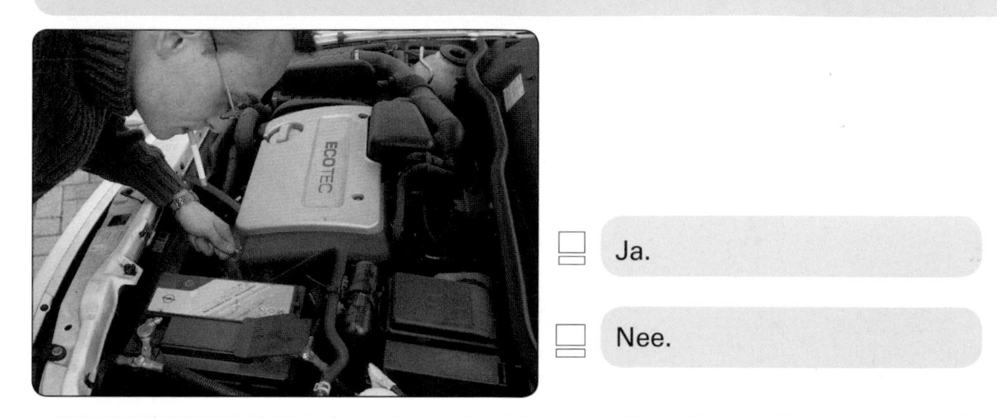

- [ ] Ja.
- [ ] Nee.

64. Waar moet u extra op letten als ook tractoren en landbouwvoertuigen gebruik maken van de rijbaan?

- [ ] A. Dat ze meestal langzaam rijden.
- [ ] B. Op de scherpe uitstekende delen van deze voertuigen.
- [ ] C. Op de breedte en de scherpe uitstekende delen van deze voertuigen, modder en/of mest op de rijbaan en de lage snelheid.

65. Mag u hier uw motorblok schoonspuiten?

- [ ] Ja.
- [ ] Nee.

Examen 5

De antwoorden en motivaties vindt u op pagina 247.

1. Wat kunt u het beste doen?

A Remmen.

B Gas loslaten.

C Niets.

2. Wat kunt u het beste doen?

A Remmen.

B Gas loslaten.

C Niets.

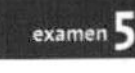

3. Wat kunt u het beste doen?

A Remmen.

B Gas loslaten.

C Niets.

4. Wat kunt u het beste doen?

A Remmen.

B Gas loslaten.

C Niets.

5. Wat kunt u het beste doen?

A Remmen.

B Gas loslaten.

C Niets.

6. Wat kunt u het beste doen?

A Remmen.

B Gas loslaten.

C Niets.

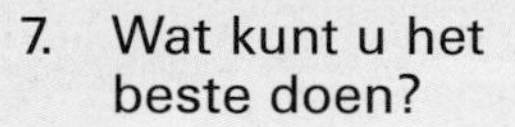

7. Wat kunt u het beste doen?

A Remmen.

B Gas loslaten.

C Niets.

8. Wat kunt u het beste doen?

A Remmen.

B Gas loslaten.

C Niets.

9. Wat kunt u het beste doen?

A Remmen.

B Gas loslaten.

C Niets.

10. Wat kunt u het beste doen?

A Remmen.

B Gas loslaten.

C Niets.

11. Wat kunt u het beste doen?

A Remmen.

B Gas loslaten.

C Niets.

12. Wat kunt u het beste doen?

A Remmen.

B Gas loslaten.

C Niets.

13. Wat kunt u het beste doen?

A Remmen.

B Gas loslaten.

C Niets.

14. Wat kunt u het beste doen?

A Remmen.

B Gas loslaten.

C Niets.

15. Wat kunt u het beste doen?

A Remmen.

B Gas loslaten.

C Niets.

16. Wat kunt u het beste doen?

A Remmen.

B Gas loslaten.

C Niets.

17. Wat kunt u het beste doen?

A Remmen.

B Gas loslaten.

C Niets.

18. Wat kunt u het beste doen?

A Remmen.

B Gas loslaten.

C Niets.

19. Wat kunt u het beste doen?

A Remmen.

B Gas loslaten.

C Niets.

20. Wat kunt u het beste doen?

A Remmen.

B Gas loslaten.

C Niets.

21. Wat kunt u het beste doen?

A Remmen.

B Gas loslaten.

C Niets.

22. Wat kunt u het beste doen?

A Remmen.

B Gas loslaten.

C Niets.

23. Wat kunt u het beste doen?

A Remmen.

B Gas loslaten.

C Niets.

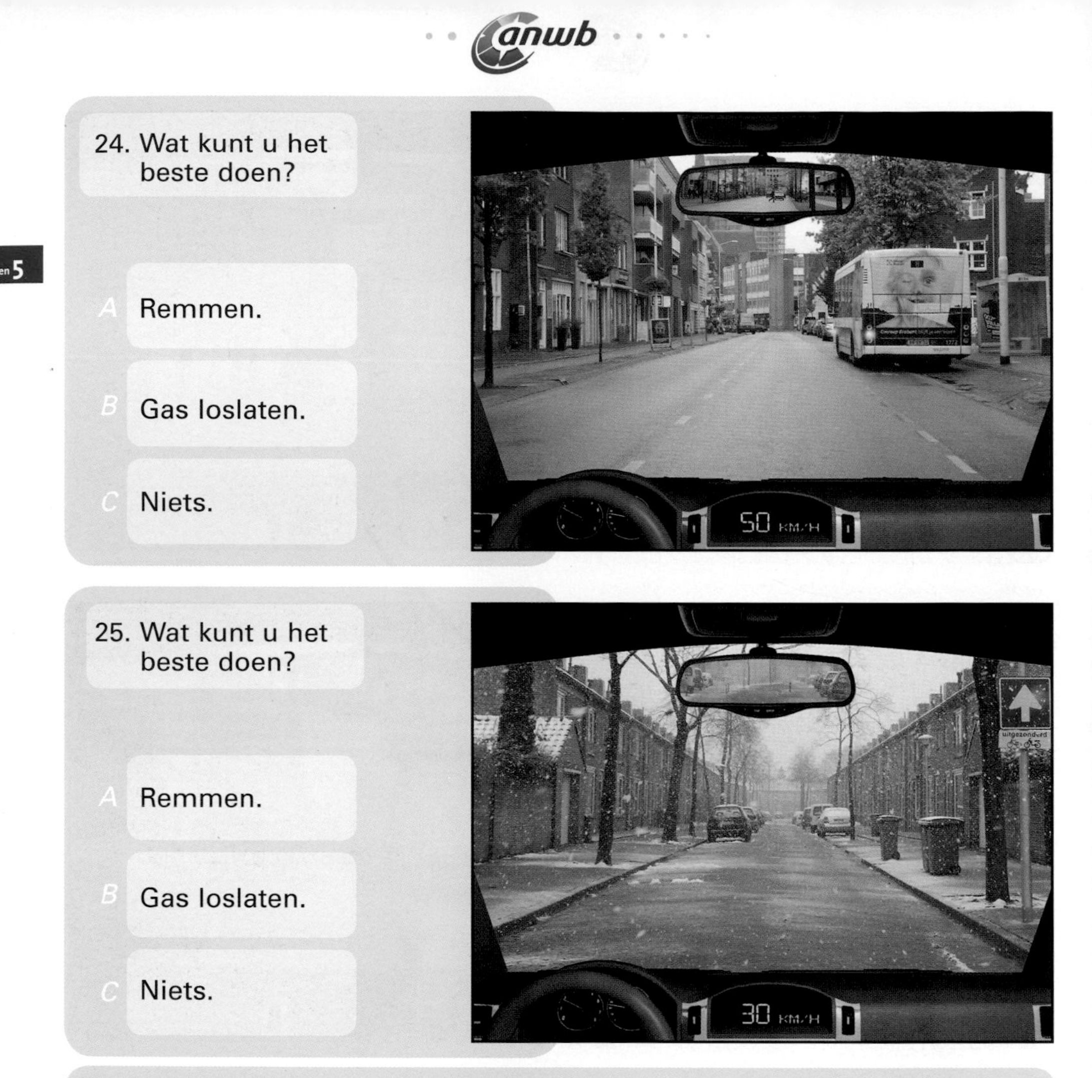

24. Wat kunt u het beste doen?

A Remmen.

B Gas loslaten.

C Niets.

25. Wat kunt u het beste doen?

A Remmen.

B Gas loslaten.

C Niets.

26. Een busstrook waarop het woord 'BUS' is aangebracht is bestemd voor:

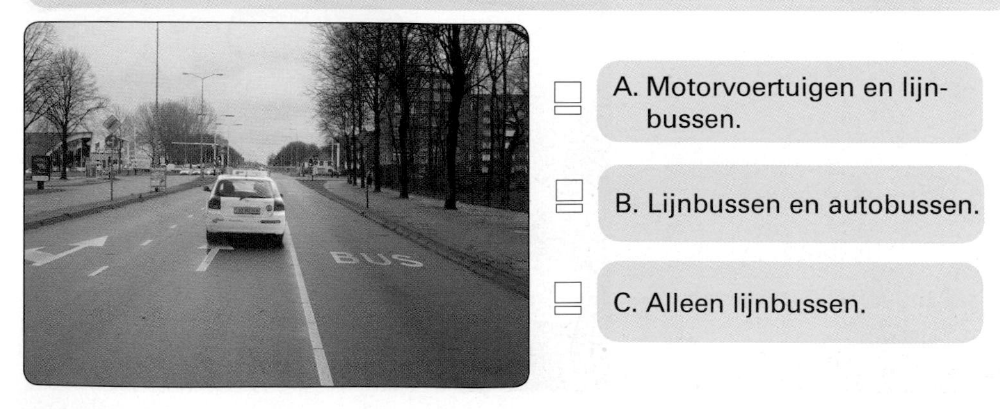

A. Motorvoertuigen en lijnbussen.

B. Lijnbussen en autobussen.

C. Alleen lijnbussen.

27. De auto is 2,00 meter breed. Mag u doorrijden?

- Ja.
- Nee.

28. Het inrijden van dit onverplichte fietspad is toegestaan voor:

- A. Fietsers.
- B. Fietsers en snorfietsers.
- C. Fietsers en snorfietsers met een uitgeschakelde verbrandingsmotor.

29. Mag u hier inrijden?:

- Ja.
- Nee.

30. Moet u bij het wegrijden de fietser en de auto voor laten gaan?

- Ja.
- Nee.

31. Een blinde heeft een witte stok die voorzien moet zijn van:

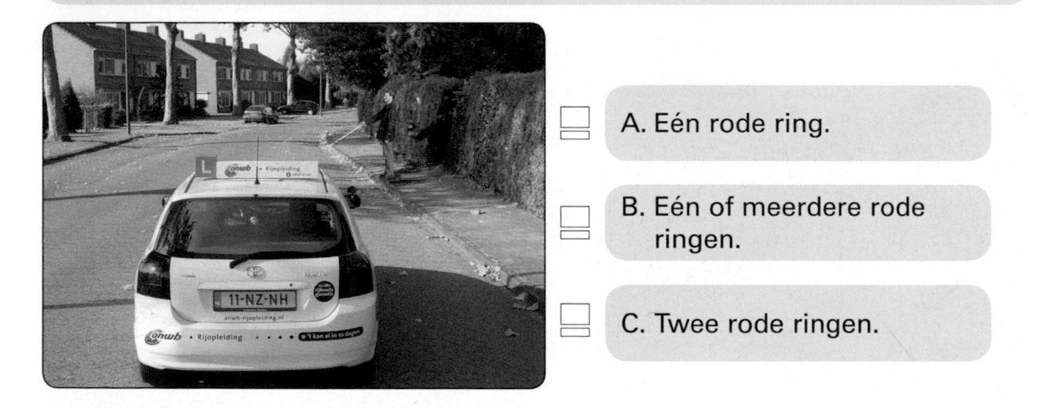

- A. Eén rode ring.
- B. Eén of meerdere rode ringen.
- C. Twee rode ringen.

32. Mag u rechts afslaan met uw auto?

- Ja.
- Nee.

33. Hebt u voorrang?

- [ ] Ja.
- [ ] Nee.

34. Wat is hier de juiste volgorde van voor laten gaan?

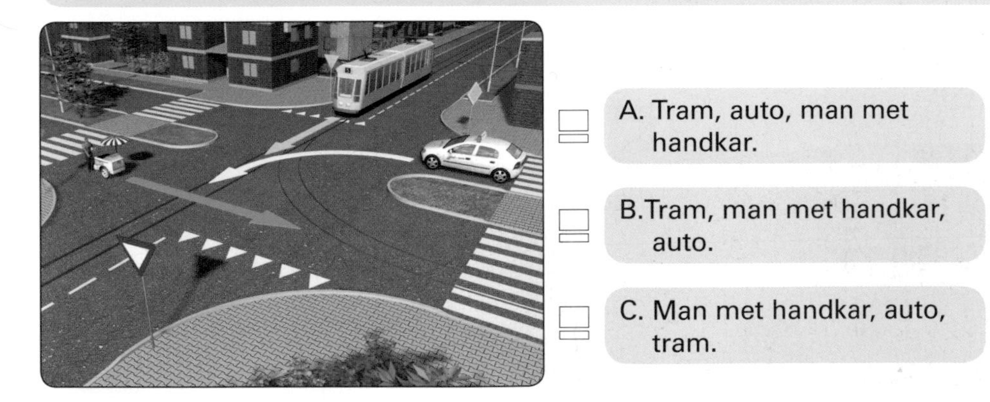

- [ ] A. Tram, auto, man met handkar.
- [ ] B. Tram, man met handkar, auto.
- [ ] C. Man met handkar, auto, tram.

35. Dit bord betekent:

- [ ] A. Ongeval.
- [ ] B. Slipgevaar.
- [ ] C. File.

36. Moet de bromfietser u voor laten gaan?

- [ ] Ja.
- [ ] Nee.

37. Hoeveel km per uur moet uw auto hier ten minste kunnen en mogen rijden?

..... km per uur.

38. Kunt u na deze trein nog een trein verwachten?

- [ ] Ja.
- [ ] Nee.

39. Moet u de fietser voor laten gaan?

- ☐ Ja.
- ☐ Nee.

40. Wat is hier de juiste volgorde van voor laten gaan?

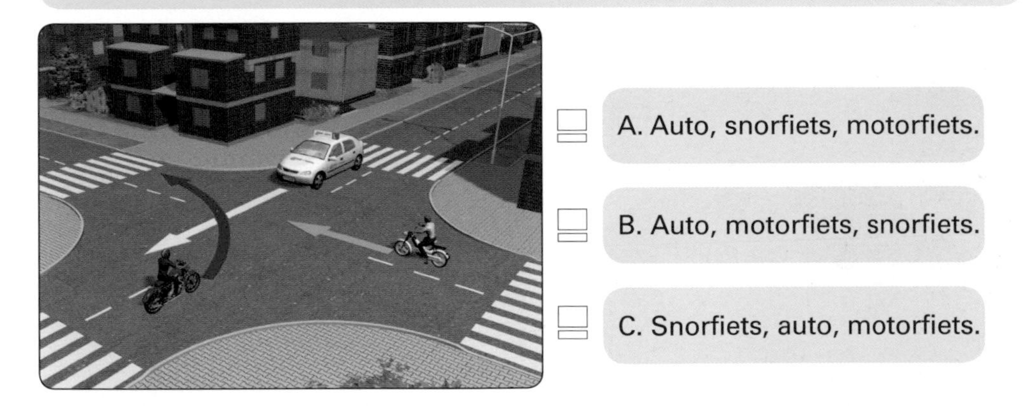

- ☐ A. Auto, snorfiets, motorfiets.
- ☐ B. Auto, motorfiets, snorfiets.
- ☐ C. Snorfiets, auto, motorfiets.

41. Welk bord geeft een adviessnelheid aan?

70 | 50 km/h

A | B

- ☐ A. Bord A.
- ☐ B. Bord B.
- ☐ C. Beide borden.

42. U slaat linksaf. Moet u de tram voor laten gaan?

- [ ] Ja.
- [ ] Nee.

43. Wat is hier meestal de maximumsnelheid?

- [ ] A. 100 km per uur.
- [ ] B. 80 km per uur.
- [ ] C. 60 km per uur.

44. Wat is hier de juiste volgorde van voor laten gaan?

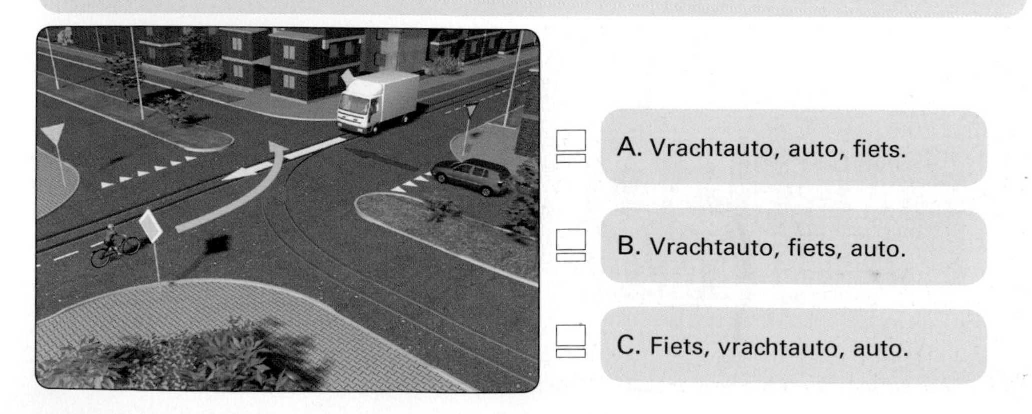

- [ ] A. Vrachtauto, auto, fiets.
- [ ] B. Vrachtauto, fiets, auto.
- [ ] C. Fiets, vrachtauto, auto.

45. Bij dit bord is inrijden toegestaan voor:

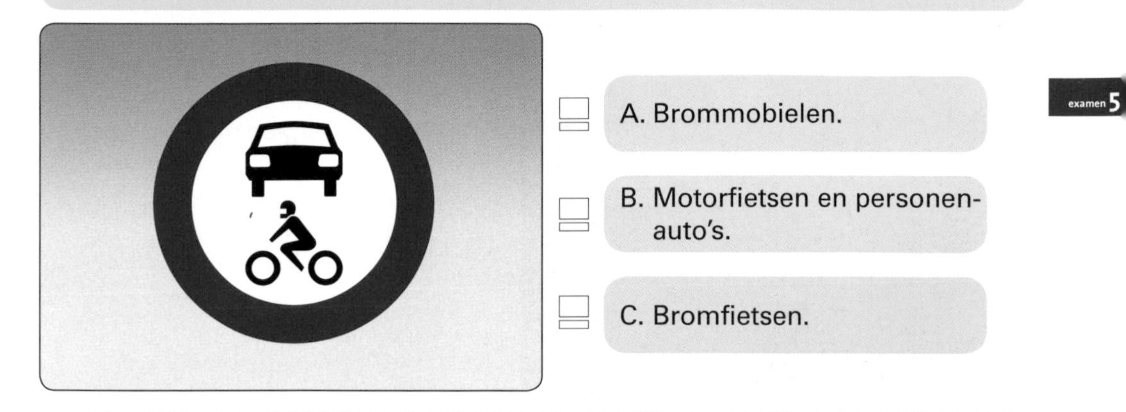

- A. Brommobielen.
- B. Motorfietsen en personen-auto's.
- C. Bromfietsen.

46. Mag u bij deze bushalte passagiers laten in- of uitstappen?

- Ja.
- Nee.

47. Bij deze gele onderbroken streep is:

- A. Stilstaan toegestaan.
- B. Parkeren toegestaan.
- C. Stilstaan en parkeren toegestaan.

48. Wat is de maximumsnelheid die de bromfietser op deze weg mag rijden?

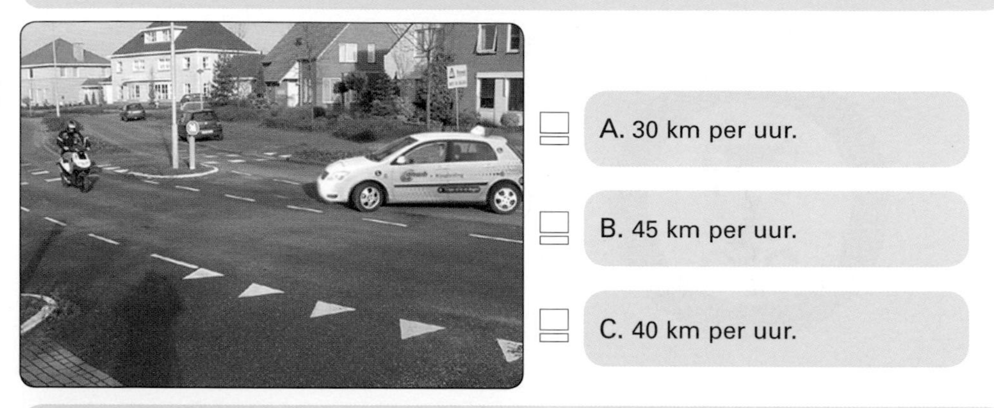

- A. 30 km per uur.
- B. 45 km per uur.
- C. 40 km per uur.

49. U rijdt op een voorrangsweg. Moet u de bestuurder van de brandweerauto, met optische- en geluidssignalen, voor laten gaan?

- Ja.
- Nee.

50. Wat is hier de juiste volgorde van voor laten gaan?

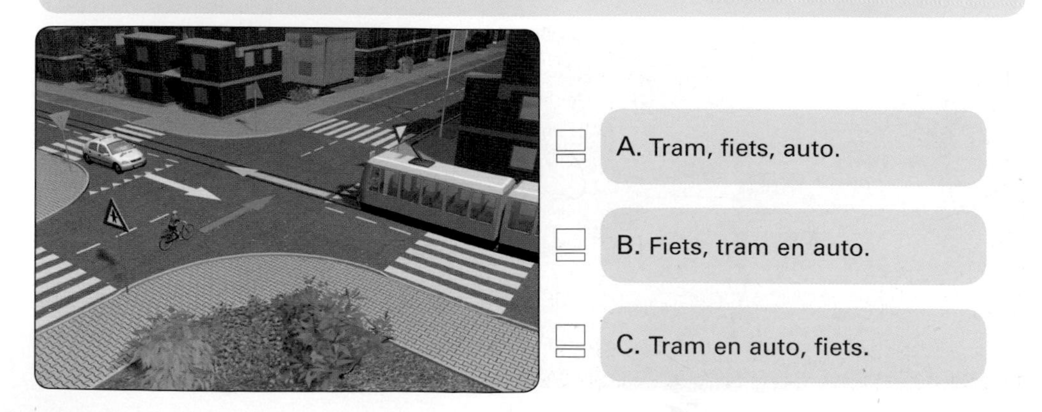

- A. Tram, fiets, auto.
- B. Fiets, tram en auto.
- C. Tram en auto, fiets.

51. Mag u op de vluchtstrook stoppen om met uw mobiele telefoon een arts te bellen omdat u zich niet goed voelt?

- [ ] Ja.
- [ ] Nee.

52. Mag u deze lading zo vervoeren?

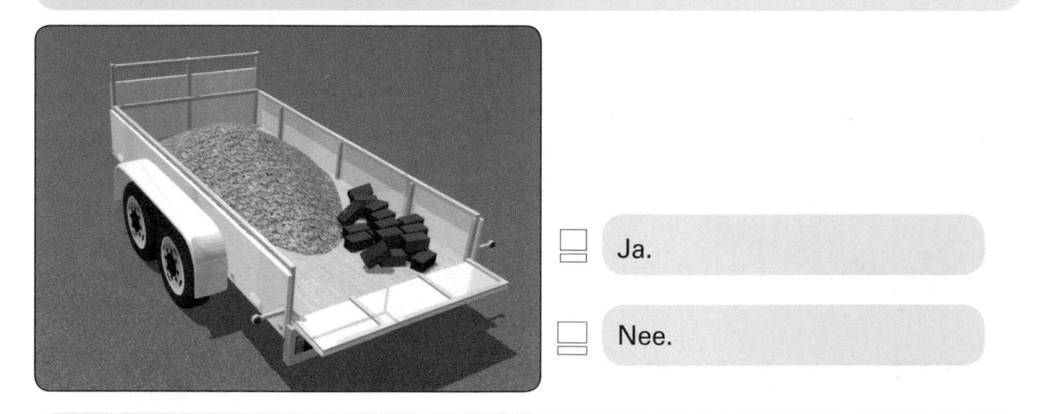

- [ ] Ja.
- [ ] Nee.

53. Moet u nu stoppen?

- [ ] Ja.
- [ ] Nee.

54. Valt de koetsier onder het begrip bestuurders?

- ☐ Ja.
- ☐ Nee.

55. De maximale lengte van de auto met aanhangwagen mag niet meer bedragen dan:

..... meter.

56. Kunt u hier eerst een bocht naar rechts en dan een bocht naar links verwachten?

- ☐ Ja.
- ☐ Nee.

57. Mag u hier 50 km per uur rijden?

- [ ] Ja.
- [ ] Nee.

58. Een vrachtauto rijdt achteruit een uitrit uit en heeft geen zicht op uw voertuig; wat doet u?

- [ ] A. Stoppen en de vrachtauto de manoeuvre laten uitvoeren.
- [ ] B. Met de claxon ingedrukt achter de vrachtauto langsrijden.
- [ ] C. De snelheid verhogen en zonder gebruik te maken van signalen de uitrit passeren.

59. Met welk hulpmiddel rijdt u gelijkmatiger en daarmee ook zuiniger?

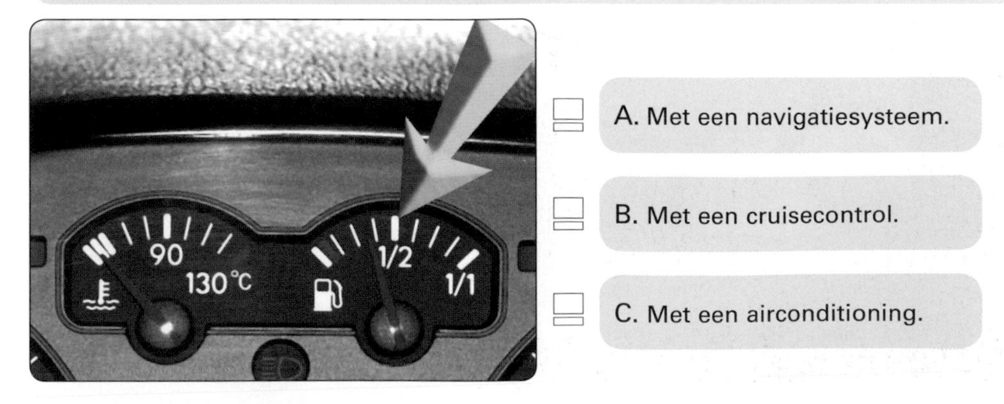

- [ ] A. Met een navigatiesysteem.
- [ ] B. Met een cruisecontrol.
- [ ] C. Met een airconditioning.

60. De toerenteller is defect; mag u zo gaan rijden?

- [ ] Ja.
- [ ] Nee.

61. Verbruikt een auto in de winter meer brandstof?

- [ ] Ja.
- [ ] Nee.

62. Staat de rechter buitenspiegel zo goed afgesteld?

- [ ] Ja.
- [ ] Nee.

63. Verbruikt een auto meer brandstof tijdens het vervoer van passagiers?

- [ ] Ja.
- [ ] Nee.

64. U neemt zo deel aan het verkeer; mag dat?

- [ ] Ja.
- [ ] Nee.

65. Moet het koelvloeistofpeil gecontroleerd worden met een stilstaande motor?

- [ ] Ja.
- [ ] Nee.

Examen 6

De antwoorden en motivaties vindt u op pagina 253.

1. Wat kunt u het beste doen?

A Remmen.

B Gas loslaten.

C Niets.

2. Wat kunt u het beste doen?

A Remmen.

B Gas loslaten.

C Niets.

3. Wat kunt u het beste doen?

A Remmen.

B Gas loslaten.

C Niets.

4. Wat kunt u het beste doen?

A Remmen.

B Gas loslaten.

C Niets.

5. Wat kunt u het beste doen?

A Remmen.

B Gas loslaten.

C Niets.

6. Wat kunt u het beste doen?

A Remmen.

B Gas loslaten.

C Niets.

7. Wat kunt u het beste doen?

A Remmen.

B Gas loslaten.

C Niets.

8. Wat kunt u het beste doen?

A Remmen.

B Gas loslaten.

C Niets.

9. Wat kunt u het beste doen?

A Remmen.

B Gas loslaten.

C Niets.

10. Wat kunt u het beste doen?

A Remmen.

B Gas loslaten.

C Niets.

11. Wat kunt u het beste doen?

A Remmen.

B Gas loslaten.

C Niets.

12. Wat kunt u het beste doen?

A Remmen.

B Gas loslaten.

C Niets.

13. Wat kunt u het beste doen?

A Remmen.

B Gas loslaten.

C Niets.

14. Wat kunt u het beste doen?

A Remmen.

B Gas loslaten.

C Niets.

15. Wat kunt u het beste doen?

A Remmen.

B Gas loslaten.

C Niets.

16. Wat kunt u het beste doen?

A Remmen.

B Gas loslaten.

C Niets.

17. Wat kunt u het beste doen?

A Remmen.

B Gas loslaten.

C Niets.

18. Wat kunt u het beste doen?

A Remmen.

B Gas loslaten.

C Niets.

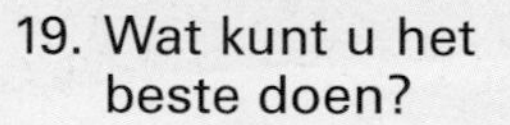

19. Wat kunt u het beste doen?

A Remmen.

B Gas loslaten.

C Niets.

20. Wat kunt u het beste doen?

A Remmen.

B Gas loslaten.

C Niets.

21. Wat kunt u het beste doen?

A Remmen.

B Gas loslaten.

C Niets.

22. Wat kunt u het beste doen?

A Remmen.

B Gas loslaten.

C Niets.

23. Wat kunt u het beste doen?

A Remmen.

B Gas loslaten.

C Niets.

examen 6

24. Wat kunt u het beste doen?

A Remmen.

B Gas loslaten.

C Niets.

25. Wat kunt u het beste doen?

A Remmen.

B Gas loslaten.

C Niets.

26. U woont aan het einde van deze weg. Mag u deze weg inrijden?

☐ Ja.

☐ Nee.

27. Bij welk bord wordt een maximumsnelheid aangegeven?

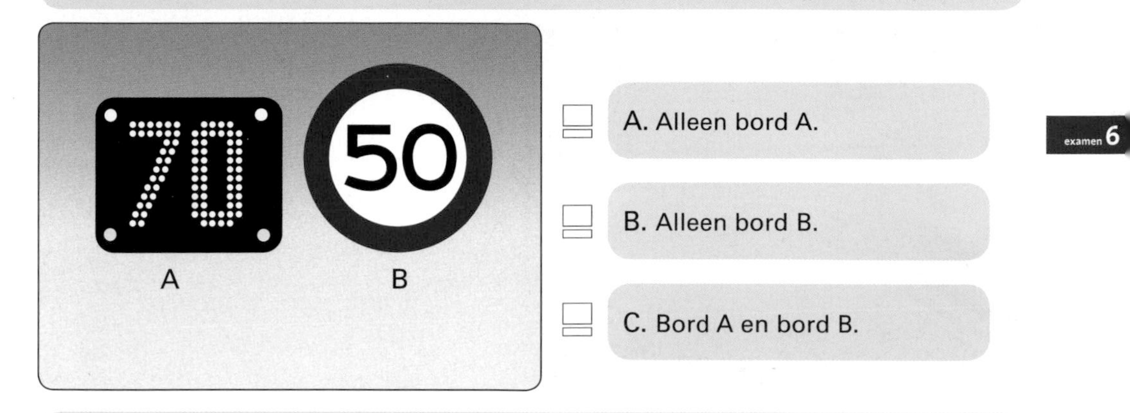

- A. Alleen bord A.
- B. Alleen bord B.
- C. Bord A en bord B.

28. Is het toegestaan dat u de rode auto hier rechts inhaalt?

- Ja.
- Nee.

29. Welke maximumsnelheid is na het passeren van het elektronisch matrixbord voor u van toepassing?

..... km per uur.

30. Wat is hier de juiste volgorde van voor laten gaan (de brandweer-auto voert geen optische- en geluidssignalen)?

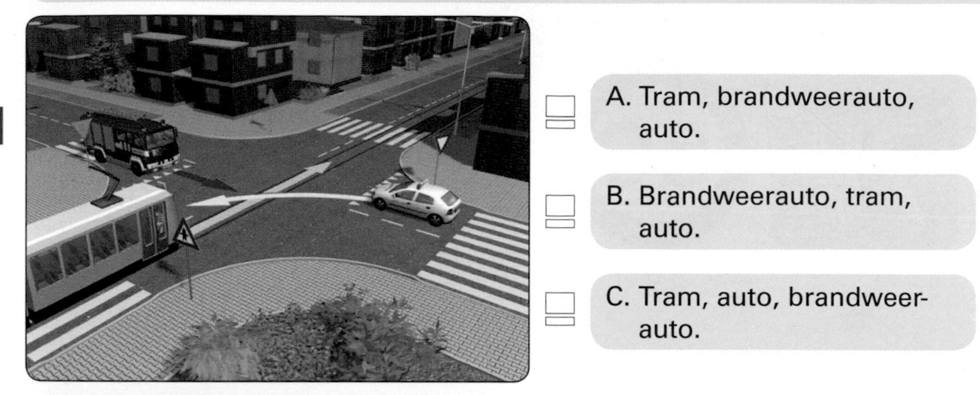

- A. Tram, brandweerauto, auto.
- B. Brandweerauto, tram, auto.
- C. Tram, auto, brandweer-auto.

31. Dit bord betekent:

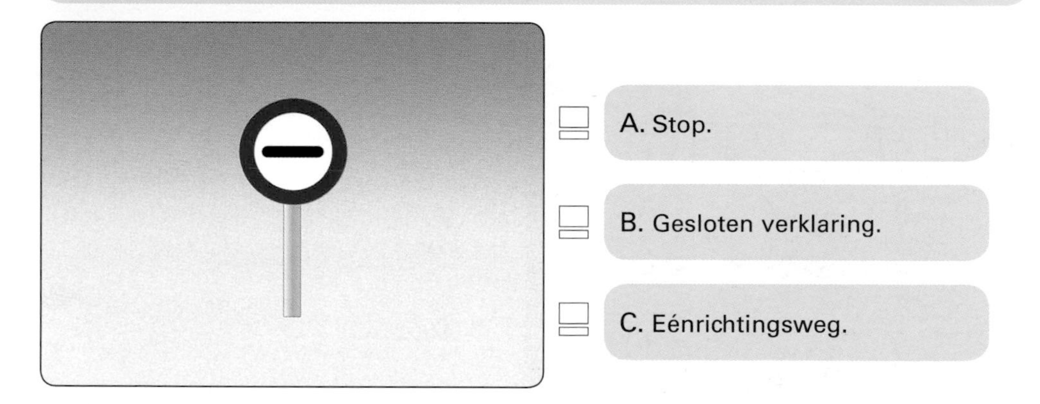

- A. Stop.
- B. Gesloten verklaring.
- C. Eénrichtingsweg.

32. Binnen hoeveel meter afstand van een kruispunt is het niet toegestaan uw voertuig te parkeren?

..... meter.

33. Deze weg is gesloten voor motorvoertuigen met:

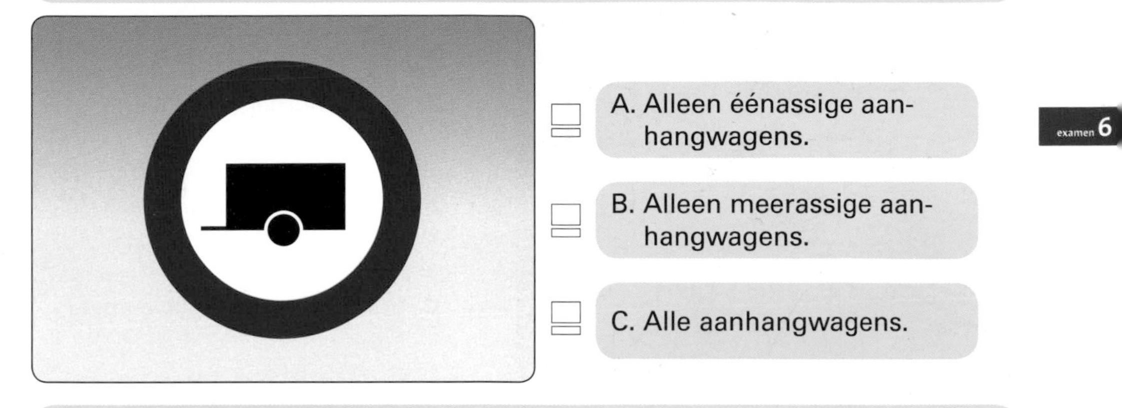

- A. Alleen éénassige aanhangwagens.
- B. Alleen meerassige aanhangwagens.
- C. Alle aanhangwagens.

34. Moet u de bestuurder van de rode auto, die op een onverharde weg rijdt, voor laten gaan?

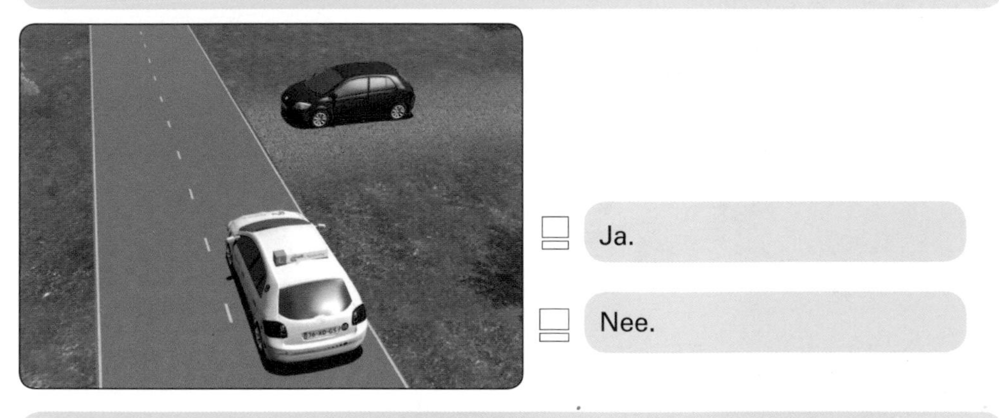

- Ja.
- Nee.

35. Moet u de bestuurder van de bespannen wagen voor laten gaan?

- Ja.
- Nee.

36. Wat is hier de juiste volgorde van voor laten gaan?

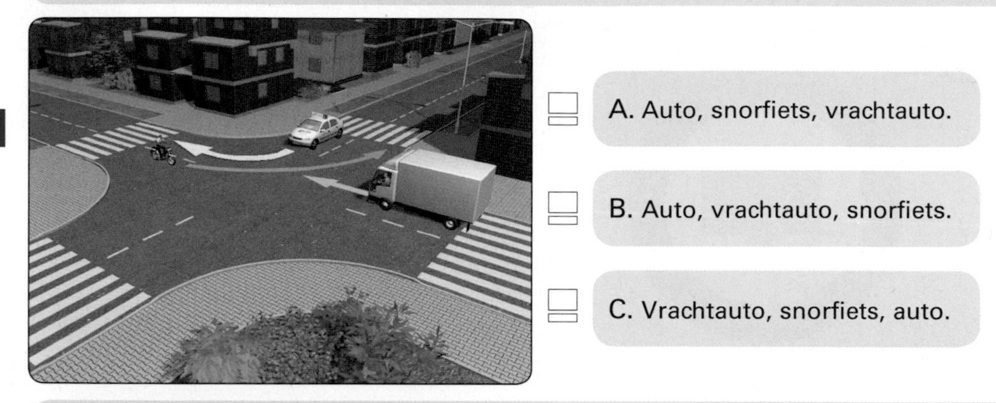

- [ ] A. Auto, snorfiets, vrachtauto.
- [ ] B. Auto, vrachtauto, snorfiets.
- [ ] C. Vrachtauto, snorfiets, auto.

37. De personenauto weegt 1450 kg en de aanhangwagen mag inclusief lading 1600 kg wegen. Om met deze combinatie te mogen rijden moet u in het bezit zijn van:

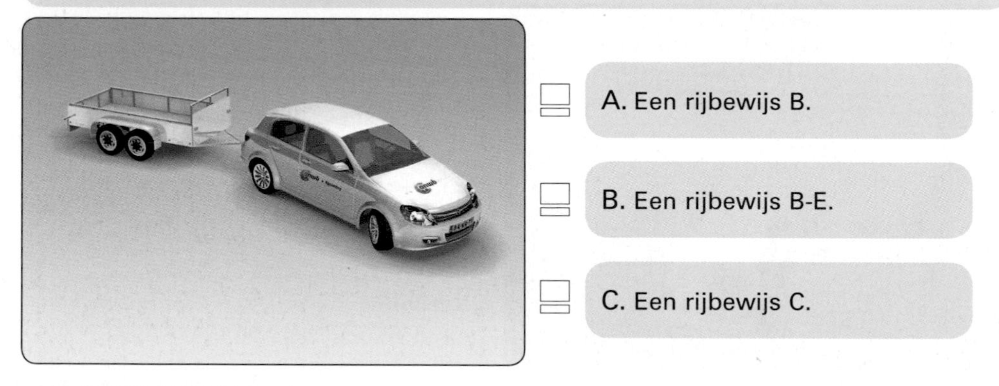

- [ ] A. Een rijbewijs B.
- [ ] B. Een rijbewijs B-E.
- [ ] C. Een rijbewijs C.

38. Deze aanhangwagen is voorzien van een losbreekreminrichting. Moet hij dan ook voorzien zijn van een hulpkoppeling?

- [ ] Ja.
- [ ] Nee.

39. U wilt rechtsaf. Wat is van toepassing?

- A. U mag niet op de suggestiestrook rijden.
- B. U mag wel op de suggestiestrook rijden, maar het hoeft niet.
- C. U moet op de suggestiestrook rijden.

40. Indien u rechts afslaat moet u voor laten gaan:

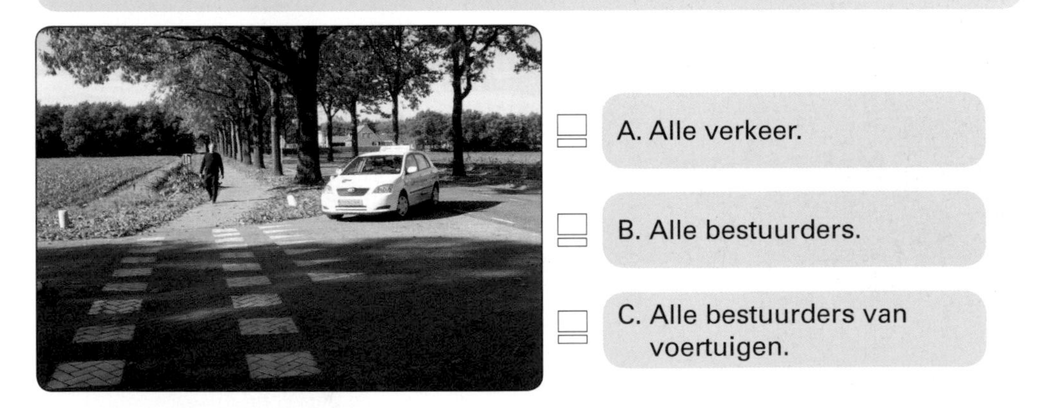

- A. Alle verkeer.
- B. Alle bestuurders.
- C. Alle bestuurders van voertuigen.

41. U mag met uw auto na het passeren van bord A of bord B niet sneller rijden dan 30 km per uur. Deze snelheid geldt:

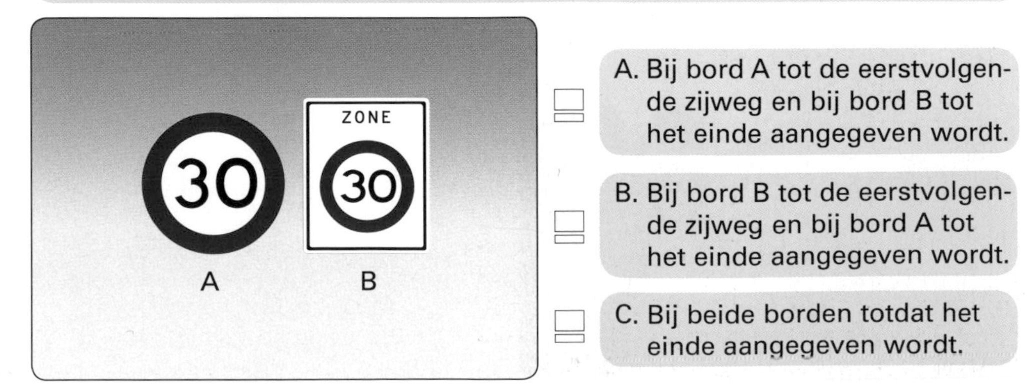

- A. Bij bord A tot de eerstvolgende zijweg en bij bord B tot het einde aangegeven wordt.
- B. Bij bord B tot de eerstvolgende zijweg en bij bord A tot het einde aangegeven wordt.
- C. Bij beide borden totdat het einde aangegeven wordt.

42. Wat is hier de juiste volgorde van voor laten gaan?

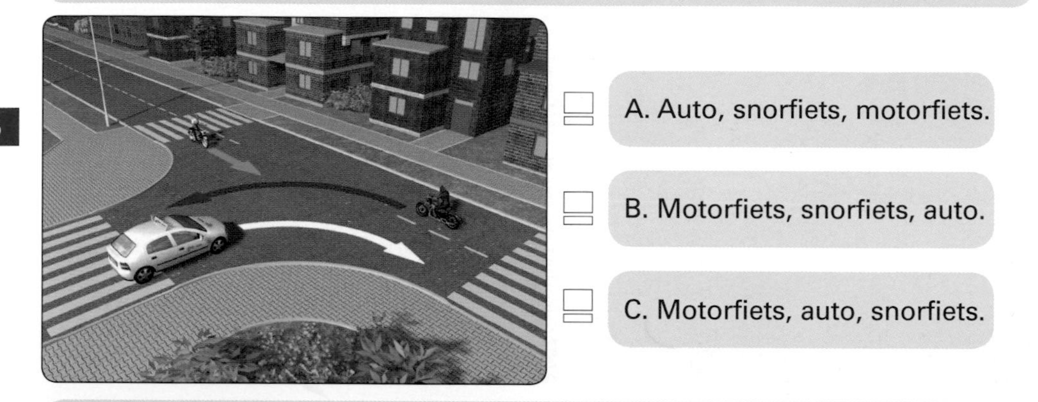

- A. Auto, snorfiets, motorfiets.
- B. Motorfiets, snorfiets, auto.
- C. Motorfiets, auto, snorfiets.

43. Wat is hier, buiten de bebouwde kom, de maximumsnelheid?

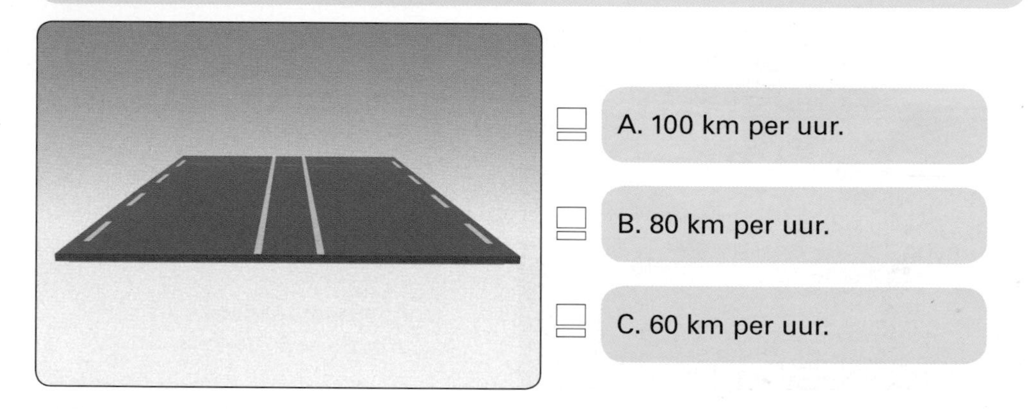

- A. 100 km per uur.
- B. 80 km per uur.
- C. 60 km per uur.

44. Binnen welke afstand van dit bord geldt een pakeerverbod, maar is het wel toegestaan om passagiers in- en uit te laten stappen?

..... meter.

examen 6

45. De maximumsnelheid na het passeren van het bord bedraagt:

..... km per uur.

46. Mag u hier uw auto aan de rechterzijde van de rijbaan parkeren?

- [ ] Ja.
- [ ] Nee.

47. U wilt richting Zwijndrecht. Mag u nu nog van rijstrook veranderen?

- [ ] Ja.
- [ ] Nee.

48. Mag u hier de rode auto inhalen?

- Ja.
- Nee.

49. Bij nadering van het volgende kruispunt moeten na het passeren van dit bord:

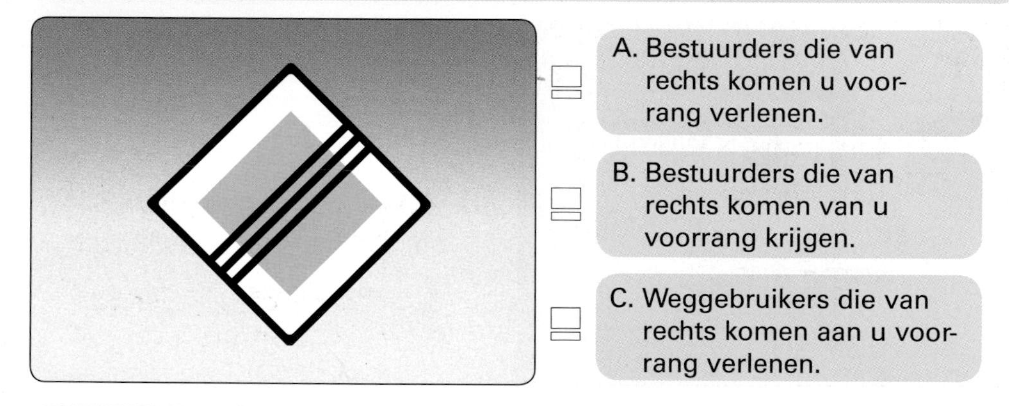

A. Bestuurders die van rechts komen u voorrang verlenen.

B. Bestuurders die van rechts komen van u voorrang krijgen.

C. Weggebruikers die van rechts komen aan u voorrang verlenen.

50. Mag u bij pech in plaats van de gevarendriehoek ook de knipperende waarschuwingslichten gebruiken?

- Ja.
- Nee.

51. Dit motorvoertuig heeft een toegestane maximummassa van 3750 kg. Mag u dit voertuig besturen met alleen een geldig rijbewijs B?

- [ ] Ja.
- [ ] Nee.

52. Wat betekent dit bord?

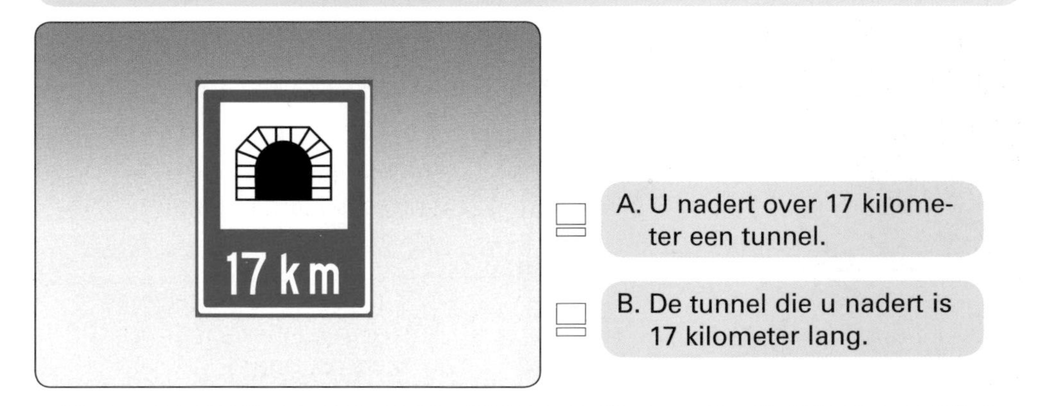

- [ ] A. U nadert over 17 kilometer een tunnel.
- [ ] B. De tunnel die u nadert is 17 kilometer lang.

53. Nadert u het einde van de autoweg?

- [ ] Ja.
- [ ] Nee.

54. Mag u nu groot licht voeren?

- [ ] Ja.
- [ ] Nee.

55. Mag u nu doorrijden?

- [ ] Ja.
- [ ] Nee.

56. Is het verstandig dat u regelmatig de bandenspanning van het reservewiel controleert?

- [ ] Ja.
- [ ] Nee.

57. Verhoogt het gebruik van verdovende middelen de kans op een ongeval?

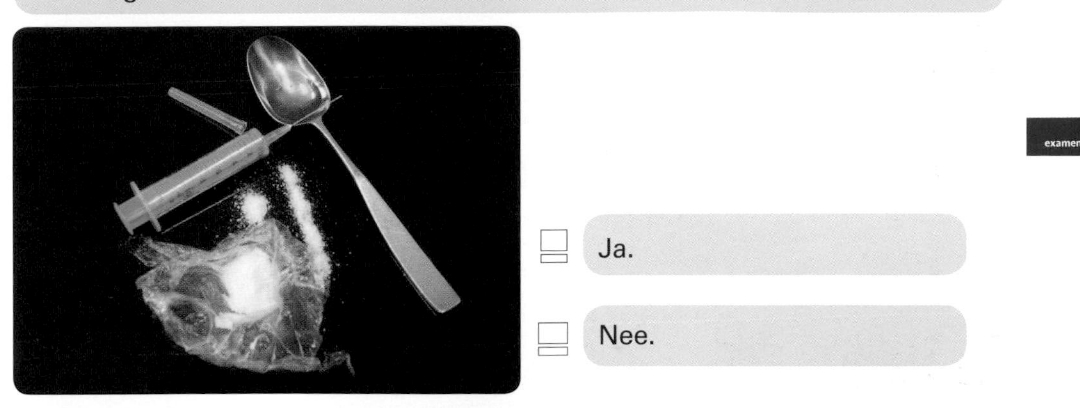

- [ ] Ja.
- [ ] Nee.

58. U wacht hier twee minuten met draaiende motor. Is dat verstandig?

- [ ] Ja.
- [ ] Nee.

59. De bandenspanning van het voorwiel is te laag. Is het mogelijk dat de wegligging ongunstig wordt beïnvloed?

- [ ] Ja.
- [ ] Nee.

60. Welke stand van de voorwielen is het meest veilig als u zo staat voorgesorteerd?

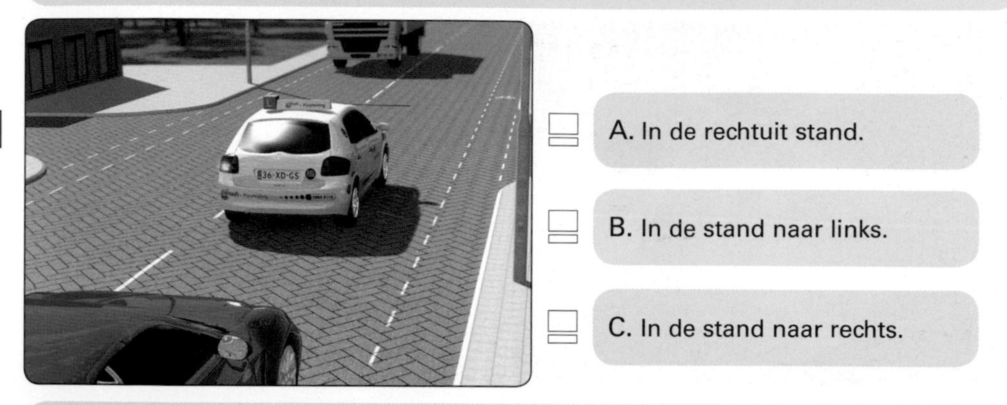

A. In de rechtuit stand.

B. In de stand naar links.

C. In de stand naar rechts.

61. Welke stuurmethode verdient de voorkeur tijdens het rijden?

A. De overpakmethode.

B. De doorgeefmethode.

C. Dit maakt niets uit.

62. Welke stoffen beïnvloeden uw rijvaardigheid negatief?

A. Heroïne, methadon, cocaïne, speed, xtc, marihuana en hasj.

B. Heroïne, cocaïne, xtc, marihuana en cola.

C. Methadon, speed, hasj en koffie.

63. U krijgt pech terwijl u in een tunnel rijdt. Staat uw auto zo veilig opgesteld?

☐ Ja.

☐ Nee.

64. Als bij het tanken het vulpistool voor de eerste keer afslaat; is dan -normaal gesproken- de brandstoftank voldoende gevuld?

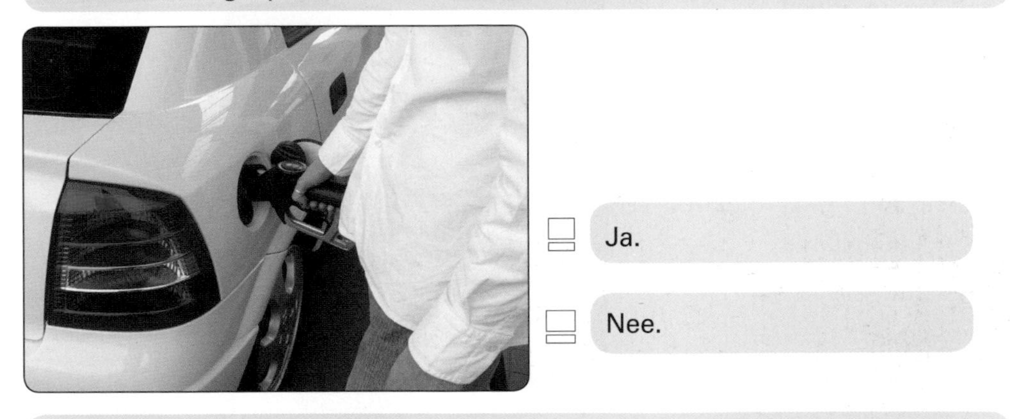

☐ Ja.

☐ Nee.

65. Kan een te lage bandenspanning een ongustige invloed hebben op het brandstofverbruik?

☐ Ja.

☐ Nee.

Examen 7

De antwoorden en motivaties vindt u op pagina 259.

1. Wat kunt u het beste doen?

A Remmen.

B Gas loslaten.

C Niets.

2. Wat kunt u het beste doen?

A Remmen.

B Gas loslaten.

C Niets.

3. Wat kunt u het beste doen?

A Remmen.

B Gas loslaten.

C Niets.

4. Wat kunt u het beste doen?

A Remmen.

B Gas loslaten.

C Niets.

5. Wat kunt u het beste doen?

A Remmen.

B Gas loslaten.

C Niets.

examen 7

6. Wat kunt u het beste doen?

A Remmen.

B Gas loslaten.

C Niets.

7. Wat kunt u het beste doen?

A Remmen.

B Gas loslaten.

C Niets.

8. Wat kunt u het beste doen?

A Remmen.

B Gas loslaten.

C Niets.

9. Wat kunt u het beste doen?

A Remmen.

B Gas loslaten.

C Niets.

10. Wat kunt u het beste doen?

A Remmen.

B Gas loslaten.

C Niets.

11. Wat kunt u het beste doen?

A Remmen.

B Gas loslaten.

C Niets.

examen 7

12. Wat kunt u het beste doen?

A Remmen.

B Gas loslaten.

C Niets.

13. Wat kunt u het beste doen?

A Remmen.

B Gas loslaten.

C Niets.

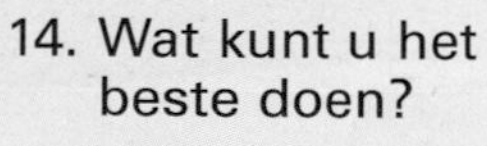

14. Wat kunt u het beste doen?

A Remmen.

B Gas loslaten.

C Niets.

15. Wat kunt u het beste doen?

A Remmen.

B Gas loslaten.

C Niets.

16. Wat kunt u het beste doen?

A Remmen.

B Gas loslaten.

C Niets.

17. Wat kunt u het beste doen?

A Remmen.

B Gas loslaten.

C Niets.

18. Wat kunt u het beste doen?

A Remmen.

B Gas loslaten.

C Niets.

19. Wat kunt u het beste doen?

A Remmen.

B Gas loslaten.

C Niets.

20. Wat kunt u het beste doen?

A Remmen.

B Gas loslaten.

C Niets.

21. Wat kunt u het beste doen?

A Remmen.

B Gas loslaten.

C Niets.

22. Wat kunt u het beste doen?

A Remmen.

B Gas loslaten.

C Niets.

23. Wat kunt u het beste doen?

A Remmen.

B Gas loslaten.

C Niets.

24. Wat kunt u het beste doen?

A Remmen.

B Gas loslaten.

C Niets.

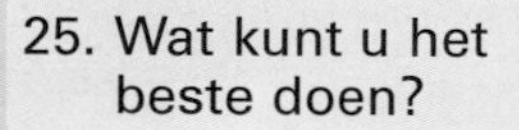

25. Wat kunt u het beste doen?

A Remmen.

B Gas loslaten.

C Niets.

26. U rijdt hier buiten de bebouwde kom. Wat is de maximumsnelheid voor personenauto's?

..... km per uur.

27. Eénrichtingsverkeer geldt hier uitsluitend voor:

- [ ] A. Personenauto's en motorfietsen.
- [ ] B. Motorvoertuigen op méér dan twee wielen en motorfietsen.
- [ ] C. Andere voertuigen dan motorvoertuigen.

28. Bij deze verkeerssituatie moet u:

- [ ] A. Alle bestuurders uit tegengestelde richting voor laten gaan.
- [ ] B. Alle verkeer uit tegengestelde richting voor laten gaan.
- [ ] C. Alle bestuurders van motorvoertuigen uit tegengestelde richting voor laten gaan.

29. Wat kunt u verwachten na dit verkeersbord?

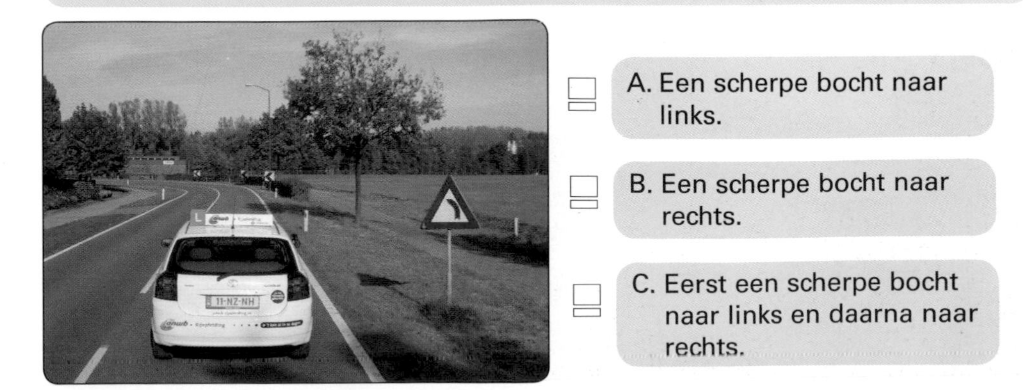

- [ ] A. Een scherpe bocht naar links.
- [ ] B. Een scherpe bocht naar rechts.
- [ ] C. Eerst een scherpe bocht naar links en daarna naar rechts.

30. Kinderen met een maximaal gewicht van 36 kg moeten altijd in een kinderbeveilingssysteem plaatsnemen als zij kleiner zijn dan:

..... meter.

31. Het stopteken dat door een verkeersbrigadier wordt gegeven geldt voor:

- A. Het verkeer dat de verkeersbrigadier van voren nadert.
- B. Het verkeer dat de verkeersbrigadier van achteren nadert.
- C. Het verkeer dat de verkeersbrigadier van voren en van achteren nadert.

32. U hebt zich vergist in de keuze van de rijstrook. Mag u nu nog van rijstrook wisselen en rechtdoor rijden?

- Ja.
- Nee.

33. U wilt links afslaan. Moet u de auto voor laten gaan?

- Ja.
- Nee.

34. Wat is hier de juiste volgorde van voor laten gaan?

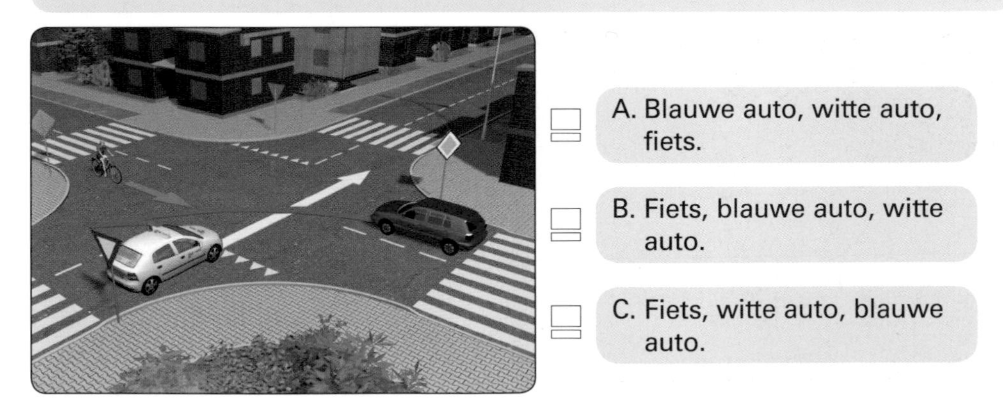

- A. Blauwe auto, witte auto, fiets.
- B. Fiets, blauwe auto, witte auto.
- C. Fiets, witte auto, blauwe auto.

35. U bent hier verplicht:

- A. Alle bestuurders op de kruisende weg voor te laten gaan.
- B. Alle weggebruikers op de kruisende weg voor te laten gaan.
- C. Te stoppen en alle bestuurders op de kruisende weg voor te laten gaan.

36. Bij dit bord bent u verplicht:

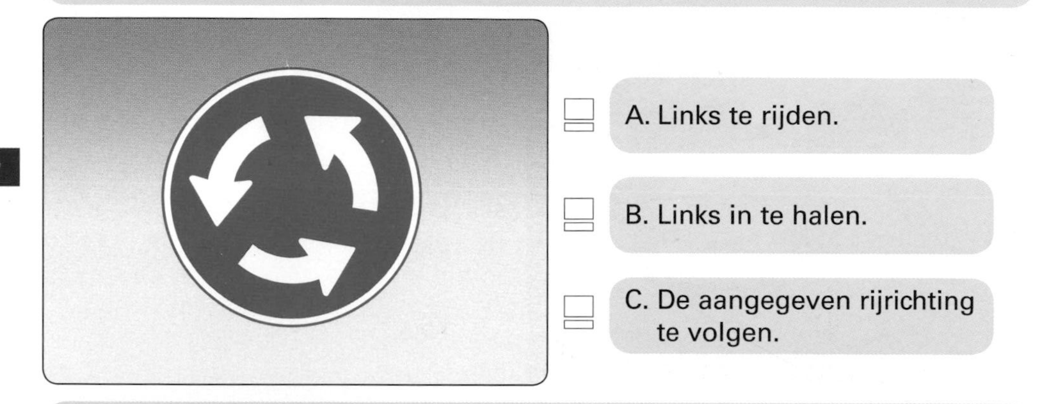

- A. Links te rijden.
- B. Links in te halen.
- C. De aangegeven rijrichting te volgen.

37. U rijdt op een onverharde weg. Moet u de fietser voor laten gaan?

- Ja.
- Nee.

38. U verlaat een erf middels een verlaagde trottoirrand. Moet u de fietser voor laten gaan?

- Ja.
- Nee.

39. Kunt u nu een trein verwachten?

- [ ] Ja.
- [ ] Nee.

40. Bij dit bord is:

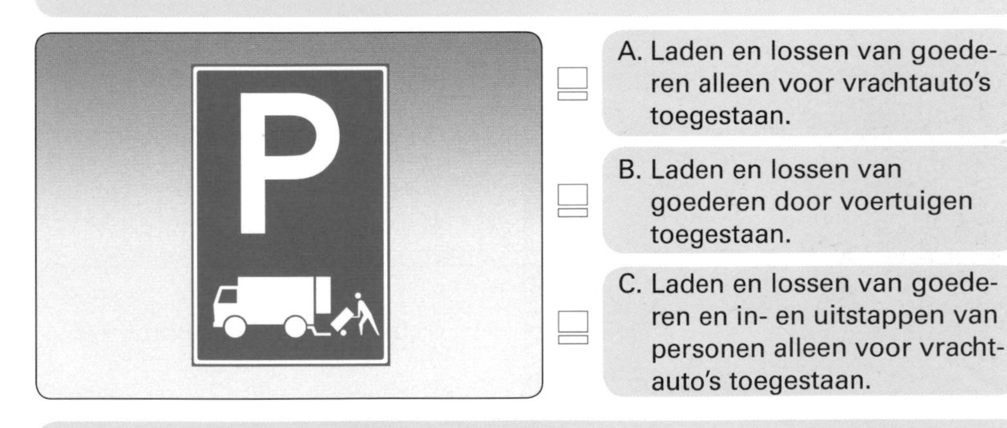

- [ ] A. Laden en lossen van goederen alleen voor vrachtauto's toegestaan.
- [ ] B. Laden en lossen van goederen door voertuigen toegestaan.
- [ ] C. Laden en lossen van goederen en in- en uitstappen van personen alleen voor vrachtauto's toegestaan.

41. Wat is hier de juiste volgorde van voor laten gaan?

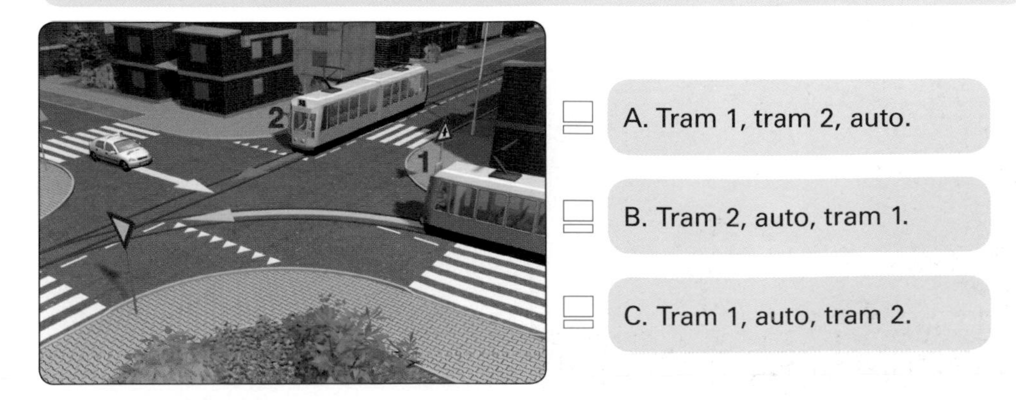

- [ ] A. Tram 1, tram 2, auto.
- [ ] B. Tram 2, auto, tram 1.
- [ ] C. Tram 1, auto, tram 2.

42. Voorsorteren bij dit bord is:

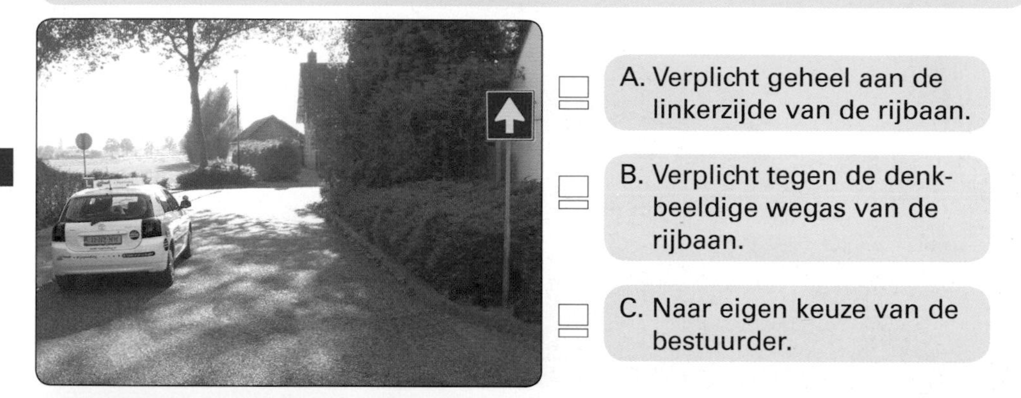

- [ ] A. Verplicht geheel aan de linkerzijde van de rijbaan.
- [ ] B. Verplicht tegen de denkbeeldige wegas van de rijbaan.
- [ ] C. Naar eigen keuze van de bestuurder.

43. Wat is hier de juiste volgorde van voor laten gaan?

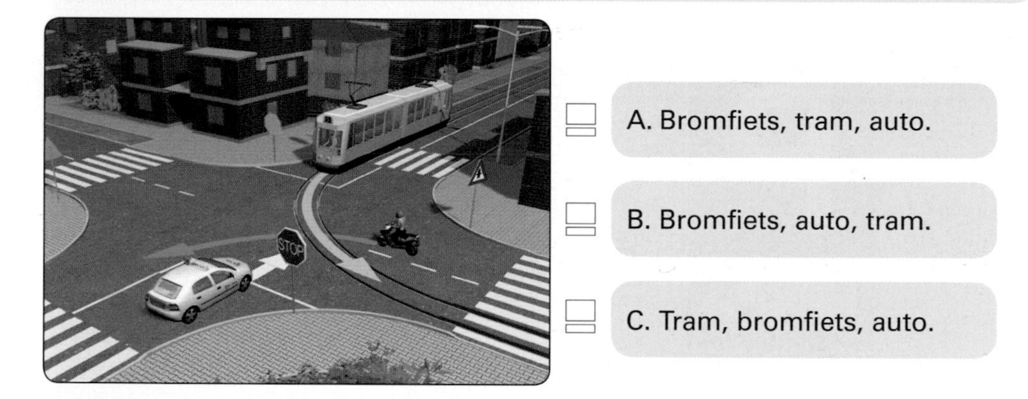

- [ ] A. Bromfiets, tram, auto.
- [ ] B. Bromfiets, auto, tram.
- [ ] C. Tram, bromfiets, auto.

44. U gaat rechtdoor. Moet u de bestuurder van de tram, die rechts afslaat, voor laten gaan?

- [ ] Ja.
- [ ] Nee.

45. Als u uw auto zo tot stilstand brengt en laat staan, valt dat onder:

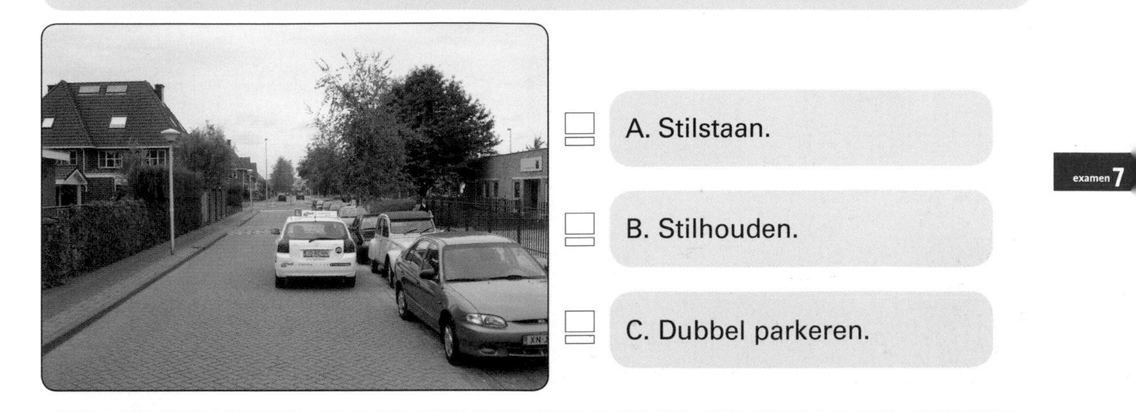

- [ ] A. Stilstaan.
- [ ] B. Stilhouden.
- [ ] C. Dubbel parkeren.

46. Moet u de bestuurder van de tram voor laten gaan?

- [ ] Ja.
- [ ] Nee.

47. Mag u hier stilstaan om goederen te lossen?

- [ ] Ja.
- [ ] Nee.

48. Mag u de rode auto inhalen?

- [ ] Ja.
- [ ] Nee.

49. Mag u de rode auto inhalen?

- [ ] Ja.
- [ ] Nee.

50. Wat is hier de juiste volgorde van voor laten gaan?

- [ ] A. Auto, bromfiets, motorfiets.
- [ ] B. Motorfiets, auto, bromfiets.
- [ ] C. Auto, motorfiets, bromfiets.

51. Rijdt u nu met uw auto op een autosnelweg?

- [ ] Ja.
- [ ] Nee.

52. Moet u de voetganger voor laten gaan?

- [ ] Ja.
- [ ] Nee.

53. Wat is hier de juiste volgorde van voor laten gaan?

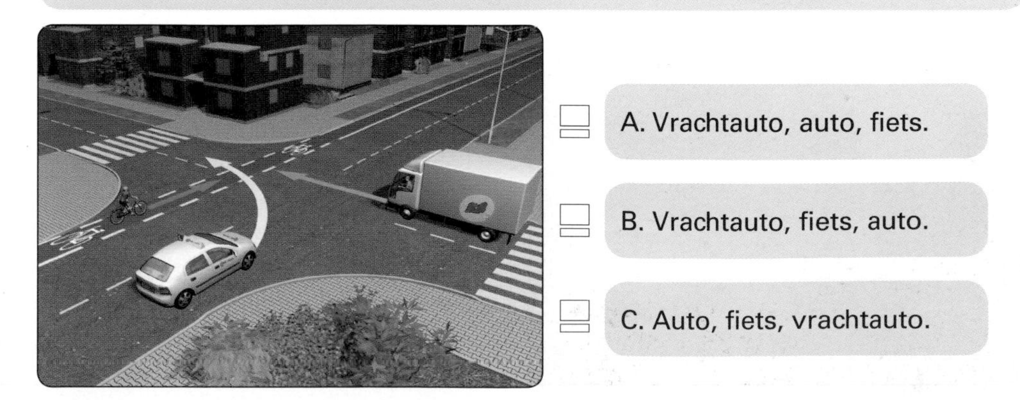

- [ ] A. Vrachtauto, auto, fiets.
- [ ] B. Vrachtauto, fiets, auto.
- [ ] C. Auto, fiets, vrachtauto.

54. Op de derde rijstrook is het verboden te rijden met vrachtauto's en met samenstellen van voertuigen die langer zijn dan:

..... meter.

55. U wilt hier gaan parkeren. Moet u een parkeerschijf gebruiken?

- [ ] Ja.
- [ ] Nee.

56. U wordt ingehaald door een bestuurder die zijn inhaalactie onderschat heeft; wat kunt u het beste doen?

- [ ] A. In het zelfde tempo blijven rijden en eventueel uitwijken naar de uiterste rechterzijde van de rijbaan.
- [ ] B. Indien er voldoende ruimte achter u is, hard remmen en eventueel uitwijken naar de berm.
- [ ] C. Claxonneren en met lichtsignalen de tegemoetkomende vrachtauto waarschuwen.

57. Is het verplicht dat u bij nacht de snelheidsmeter kunt aflezen?

- [ ] Ja.
- [ ] Nee.

58. Is het aan te bevelen dat een lifehammer steeds binnen handbereik is?

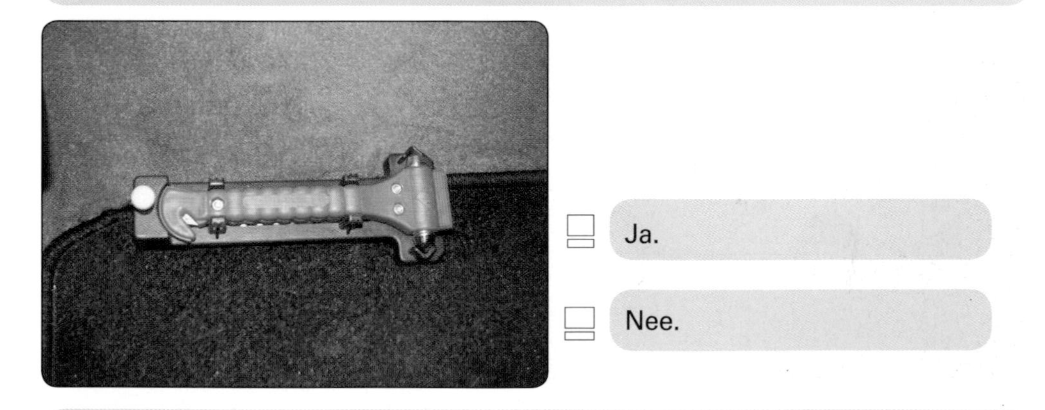

- [ ] Ja.
- [ ] Nee.

59. Verbruikt een auto tijdens het rijden in de bergen meer brandstof?

- [ ] Ja.
- [ ] Nee.

60. Bent u verplicht op eerste verzoek te stoppen en de verplichte papieren voor controle af te geven?

- [ ] Ja.
- [ ] Nee.

61. U wilt zo gaan rijden; bent u daarvoor lichamelijk geschikt?

- [ ] Ja.
- [ ] Nee.

62. De auto is voorin - ook op de passagiersplaats - voorzien van een - airbag; mag u zo gaan rijden?

- [ ] Ja.
- [ ] Nee.

63. Wat wordt bedoeld met het nieuwe rijden (HNR)?

- [ ] A. Het rijden met nieuwe auto's.
- [ ] B. Het rijden door beginnende bestuurders.
- [ ] C. Het rijden met een milieuvriendelijke rijstijl.

64. De gemiddelde reactietijd om te remmen is:

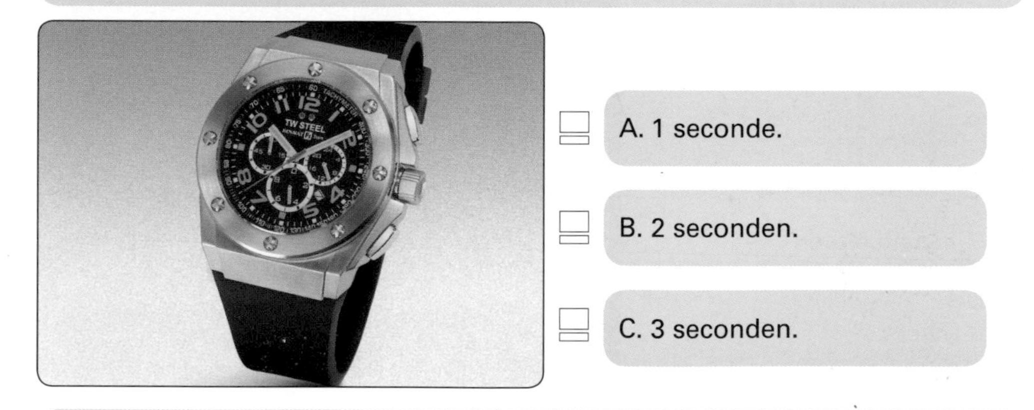

- [ ] A. 1 seconde.
- [ ] B. 2 seconden.
- [ ] C. 3 seconden.

65. De juiste kijktechniek om veilig in te voegen is:

- [ ] A. Kijk in de binnenspiegel, linkerbuitenspiegel en achterom in de dode hoek.
- [ ] B. Kijk in de binnenspiegel, linkerbuitenspiegel en links opzij in de dode hoek.
- [ ] C. Kijk in de linkerbuitenspiegel en links opzij in de dode hoek.

Examen 8

De antwoorden en motivaties vindt u op pagina 265.

1. Wat kunt u het beste doen?

A Remmen.

B Gas loslaten.

C Niets.

2. Wat kunt u het beste doen?

A Remmen.

B Gas loslaten.

C Niets.

3. Wat kunt u het beste doen?

A Remmen.

B Gas loslaten.

C Niets.

4. Wat kunt u het beste doen?

A Remmen.

B Gas loslaten.

C Niets.

5. Wat kunt u het beste doen?

A Remmen.

B Gas loslaten.

C Niets.

6. Wat kunt u het beste doen?

A Remmen.

B Gas loslaten.

C Niets.

7. Wat kunt u het beste doen?

A Remmen.

B Gas loslaten.

C Niets.

8. Wat kunt u het beste doen?

A Remmen.

B Gas loslaten.

C Niets.

9. Wat kunt u het beste doen?

A Remmen.

B Gas loslaten.

C Niets.

10. Wat kunt u het beste doen?

A Remmen.

B Gas loslaten.

C Niets.

11. Wat kunt u het beste doen?

A Remmen.

B Gas loslaten.

C Niets.

12. Wat kunt u het beste doen?

A Remmen.

B Gas loslaten.

C Niets.

13. Wat kunt u het beste doen?

A Remmen.

B Gas loslaten.

C Niets.

14. Wat kunt u het beste doen?

A Remmen.

B Gas loslaten.

C Niets.

15. Wat kunt u het beste doen?

A Remmen.

B Gas loslaten.

C Niets.

16. Wat kunt u het beste doen?

A Remmen.

B Gas loslaten.

C Niets.

17. Wat kunt u het beste doen?

A Remmen.

B Gas loslaten.

C Niets.

18. Wat kunt u het beste doen?

A Remmen.

B Gas loslaten.

C Niets.

19. Wat kunt u het beste doen?

A Remmen.

B Gas loslaten.

C Niets.

20. Wat kunt u het beste doen?

A Remmen.

B Gas loslaten.

C Niets.

21. Wat kunt u het beste doen?

A Remmen.

B Gas loslaten.

C Niets.

22. Wat kunt u het beste doen?

A Remmen.

B Gas loslaten.

C Niets.

23. Wat kunt u het beste doen?

A Remmen.

B Gas loslaten.

C Niets.

24. Wat kunt u het beste doen?

A Remmen.

B Gas loslaten.

C Niets.

25. Wat kunt u het beste doen?

A Remmen.

B Gas loslaten.

C Niets.

26. Mag u doorrijden?

- [ ] Ja.
- [ ] Nee.

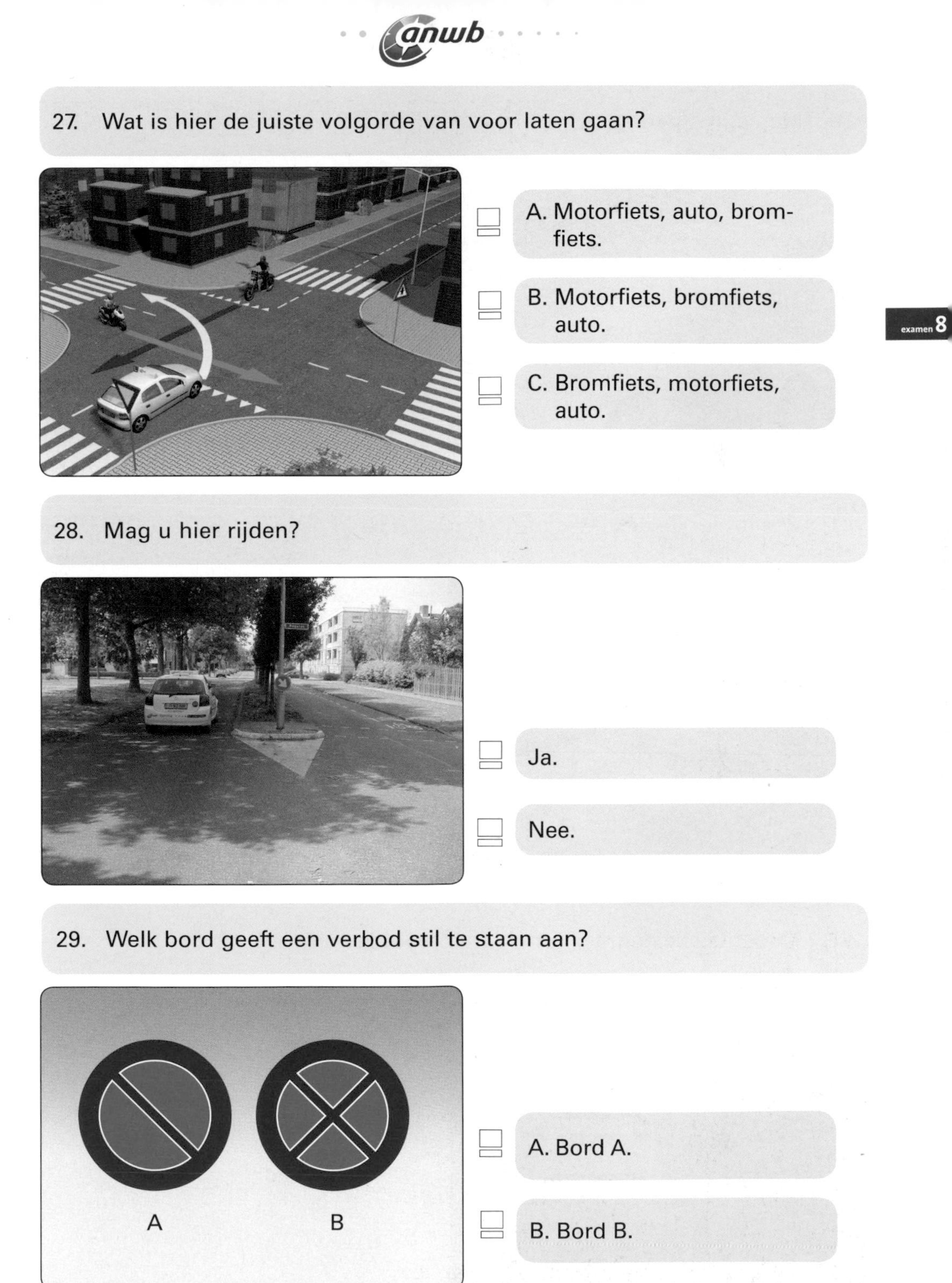

27. Wat is hier de juiste volgorde van voor laten gaan?

- A. Motorfiets, auto, bromfiets.
- B. Motorfiets, bromfiets, auto.
- C. Bromfiets, motorfiets, auto.

28. Mag u hier rijden?

- Ja.
- Nee.

29. Welk bord geeft een verbod stil te staan aan?

- A. Bord A.
- B. Bord B.

30. Mag u hier parkeren?

- [ ] Ja.
- [ ] Nee.

31. Wat is hier de juiste volgorde van voor laten gaan?

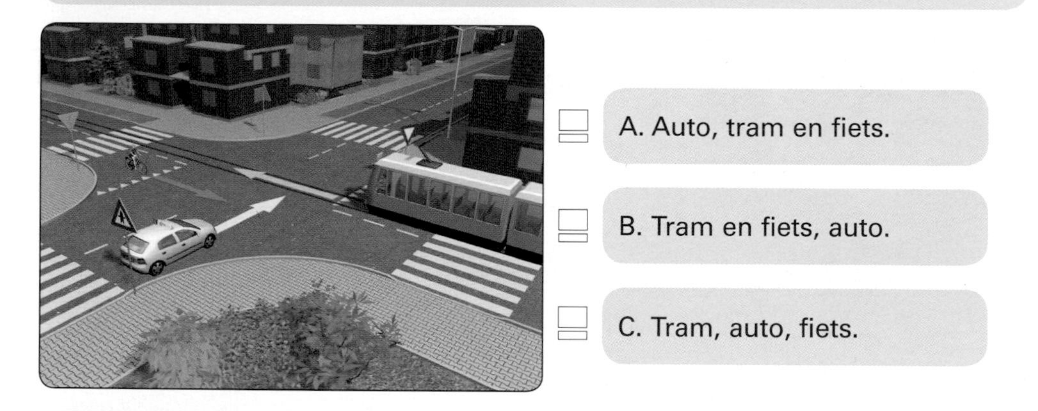

- [ ] A. Auto, tram en fiets.
- [ ] B. Tram en fiets, auto.
- [ ] C. Tram, auto, fiets.

32. Moet u de bestuurder van de tram voor laten gaan?

- [ ] Ja.
- [ ] Nee.

33. Mag u hier stilstaan om een passagier in te laten stappen?

- [ ] Ja.
- [ ] Nee.

34. De toegestane maximumlengte van een personenauto is:

.... meter.

35. Moet u de afbuigende tram voor laten gaan?

- [ ] Ja.
- [ ] Nee.

36. Wat is hier de juiste volgorde van voor laten gaan?

- A. Auto, snorfiets, fiets.
- B. Snorfiets, fiets, auto.
- C. Fiets, snorfiets, auto.

37. Moet u de bromfietser voor laten gaan?

- Ja.
- Nee.

38. Wat betekent bij tram-/buslichten het middelste gele licht?

- A. Stoppen.
- B. Stop, maar bestuurders van trams, lijnbussen en autobussen die het licht zo dicht genaderd zijn dat stoppen redelijkerwijs niet meer mogelijk is: doorgaan.

39. Mag u uw auto zo parkeren?

- Ja.
- Nee.

40. U wilt de eerstvolgende afslag rechtsaf. Moet u nu richting naar rechts aangeven?

- Ja.
- Nee.

41. Bij welk(e) bord(en) mag u onmiddellijk passagiers laten in- of uitstappen of onmiddellijk goederen laden of lossen?

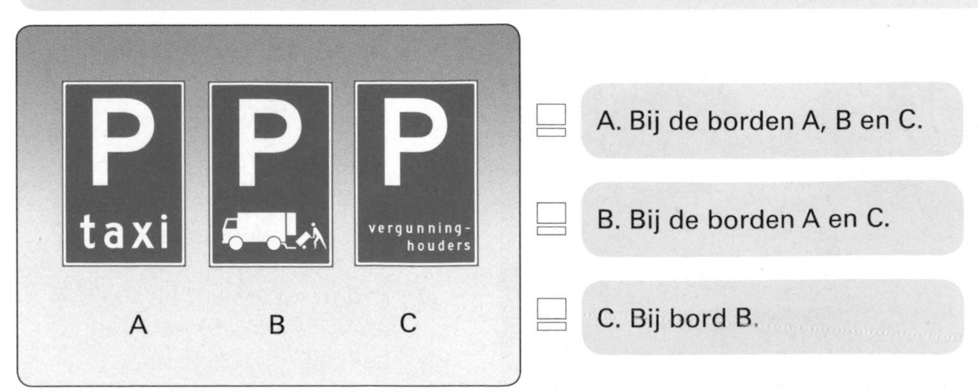

- A. Bij de borden A, B en C.
- B. Bij de borden A en C.
- C. Bij bord B.

42. De toegestane maximumbreedte van een personenauto is:

..... meter.

43. Op welke plaatsen worden bij voorkeur tweekleurige verkeers- lichten geplaatst?

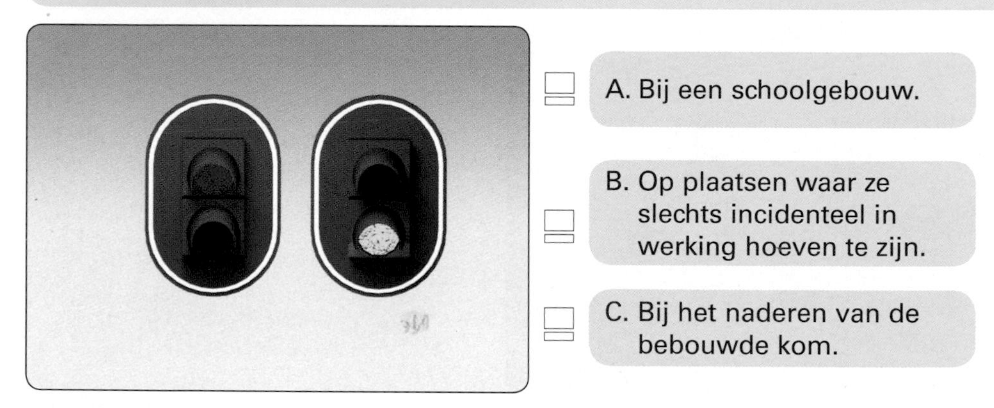

- [ ] A. Bij een schoolgebouw.
- [ ] B. Op plaatsen waar ze slechts incidenteel in werking hoeven te zijn.
- [ ] C. Bij het naderen van de bebouwde kom.

44. Bij een bushalte die voorzien is van een blokmarkering is:

- [ ] A. Parkeren toegestaan.
- [ ] B. In- en uit laten stappen van passagiers toegestaan.
- [ ] C. Laden en lossen en het in- en uit laten stappen van passagiers toegestaan.

45. Welke verkeerszuil mag u aan beide zijden voorbijgaan?

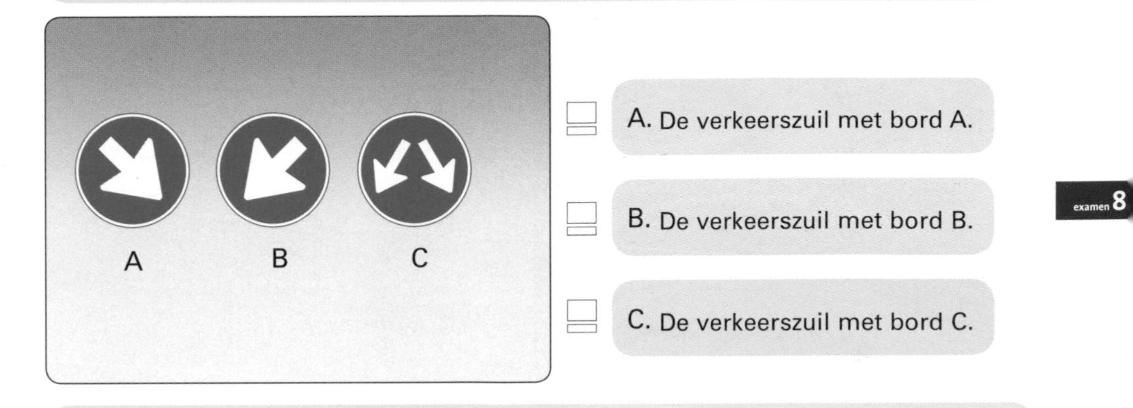

- A. De verkeerszuil met bord A.
- B. De verkeerszuil met bord B.
- C. De verkeerszuil met bord C.

46. Mag u hier op deze autoweg achteruit rijden?

- Ja.
- Nee.

47. Waar kunt u deze borden aantreffen?

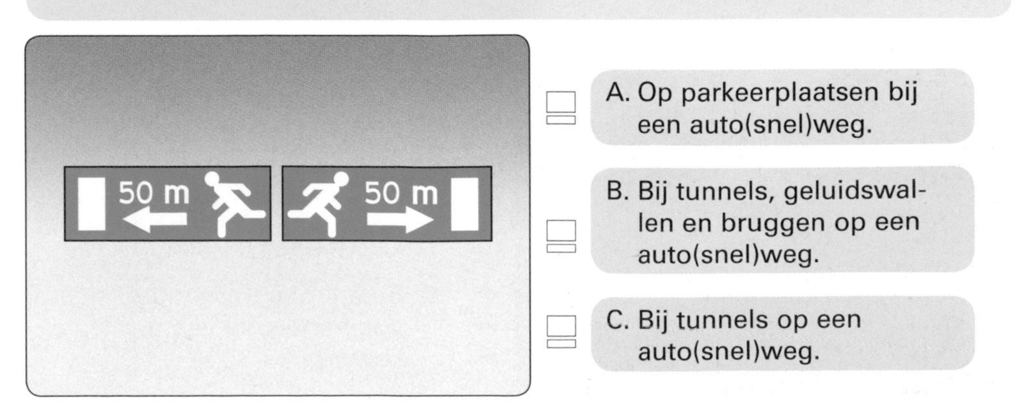

- A. Op parkeerplaatsen bij een auto(snel)weg.
- B. Bij tunnels, geluidswallen en bruggen op een auto(snel)weg.
- C. Bij tunnels op een auto(snel)weg.

48. Wat is hier de juiste volgorde van voor laten gaan?

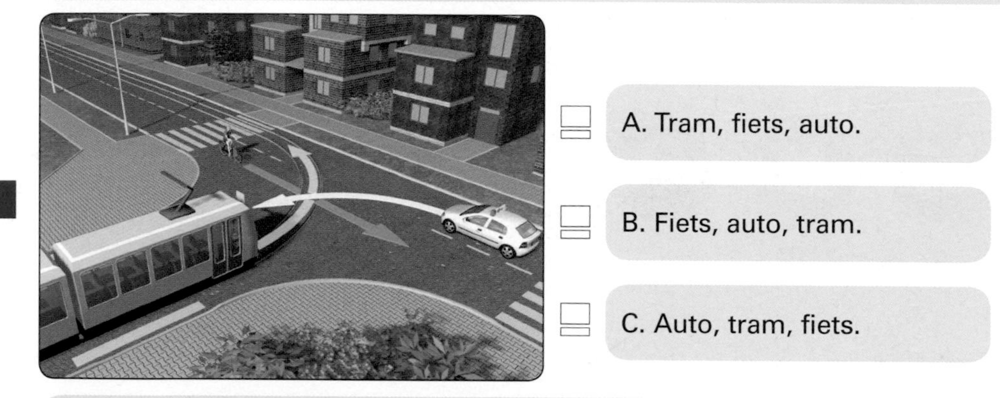

- [ ] A. Tram, fiets, auto.
- [ ] B. Fiets, auto, tram.
- [ ] C. Auto, tram, fiets.

49. Moet u de fietsers voor laten gaan?

- [ ] Ja.
- [ ] Nee.

50. Op een gelijkwaardig kruispunt moet u voor laten gaan:

- [ ] A. Alle bestuurders die van rechts komen.
- [ ] B. Al het verkeer dat van rechts komt.
- [ ] C. Bestuurders van motorvoertuigen die van rechts komen.

51. U wilt rechts afslaan, moet u de voetgangers voor laten gaan?

- [ ] Ja.
- [ ] Nee.

52. Wat is hier de juiste volgorde van voor laten gaan?

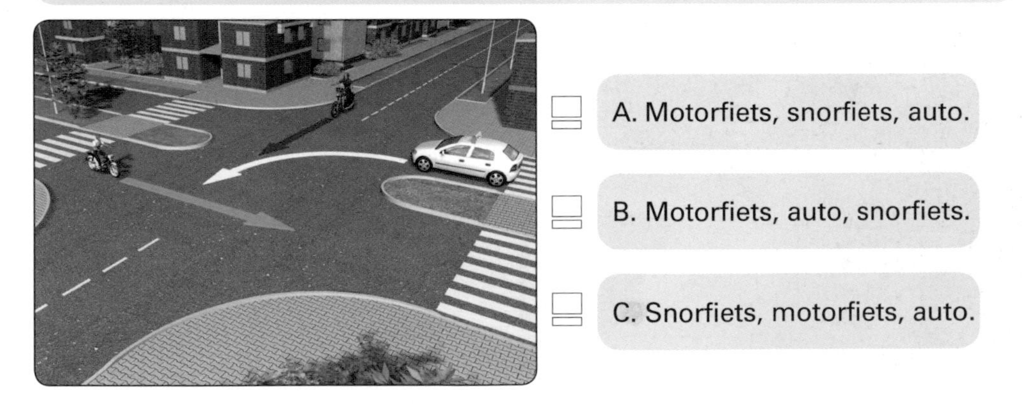

- [ ] A. Motorfiets, snorfiets, auto.
- [ ] B. Motorfiets, auto, snorfiets.
- [ ] C. Snorfiets, motorfiets, auto.

53. Geldt hier een geslotenverklaring voor voertuigen met een bepaalde maximumbreedte?

- [ ] Ja.
- [ ] Nee.

54. Wat is hier de juiste volgorde van voor laten gaan (de brandweerauto voert geen optische- en geluidssignalen)?

- A. Snorfiets, brandweerauto, auto.
- B. Brandweerauto, snorfiets, auto.
- C. Brandweerauto, auto, snorfiets.

55. Mag u de uitvaartstoet van motorvoertuigen. voorzien van herkenningstekens doorsnijden?

- Ja.
- Nee.

56. Moet een auto zijn voorzien van een goed werkende kilometerteller?

- Ja.
- Nee.

57. Is het verstandig dat u op gezette tijden uw motoroliepeil controleert?

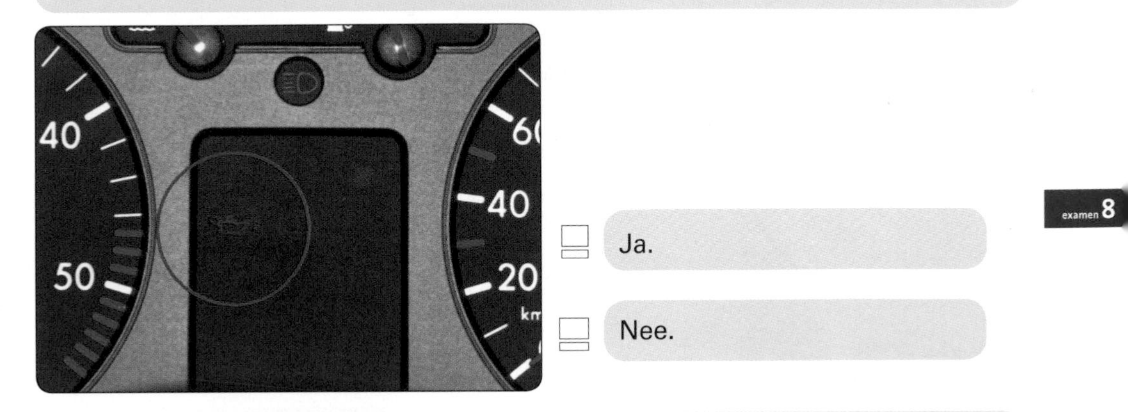

- [ ] Ja.
- [ ] Nee.

58. Kunnen losse spullen op de bodem van de auto gevaar of hinder veroorzaken?

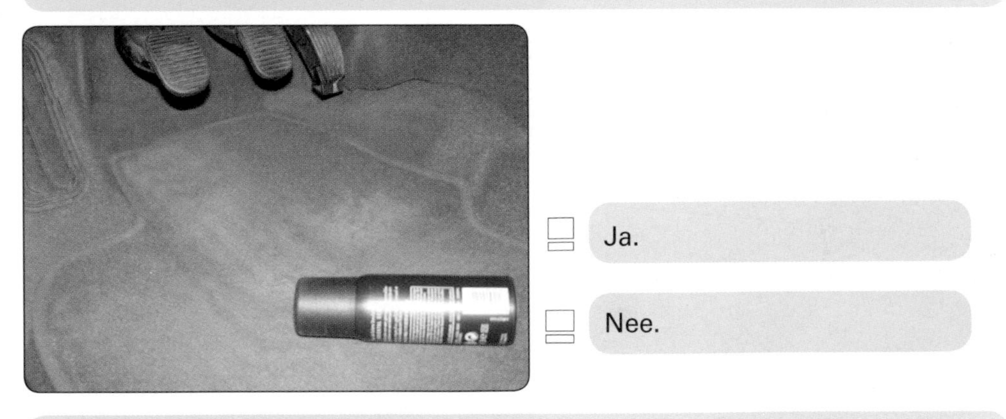

- [ ] Ja.
- [ ] Nee.

59. Is het verplicht een verbandtrommel in uw auto te hebben?

- [ ] Ja.
- [ ] Nee.

60. Welke weggebruikers kunt u op deze rijbaan niet verwachten?

- A. Bestuurders van motorvoertuigen, bromfietsen en fietsen.
- B. Bestuurders van bromfietsen, snorfietsen en landbouwvoertuigen.
- C. Bestuurders van motorvoertuigen, motorrijtuigen en brommobielen.

61. Tijdens deze weersomstandigheden moet u rekening houden met:

- A. Opspattend water en een langere remweg.
- B. Een langere remweg en slipgevaar.
- C. Minder zicht, een langere remweg, aquaplaning en slipgevaar.

62. U heeft pech; staat u zelf zo op een veilige plaats naast de auto?

- Ja.
- Nee.

63. Is het veiliger om hier naast het gebruik van de waarschuwingsknipperlichten ook de gevarendriehoek ruim voor de bocht te plaatsen?

- [ ] Ja.
- [ ] Nee.

64. U rijdt hier 80 km per uur; is dat verstandig?

- [ ] Ja.
- [ ] Nee.

65. Is de bestuurder zelf verantwoordelijk voor schone, hele en goed werkende verlichting?

- [ ] Ja.
- [ ] Nee.

Examen 9

De antwoorden en motivaties vindt u op pagina 271.

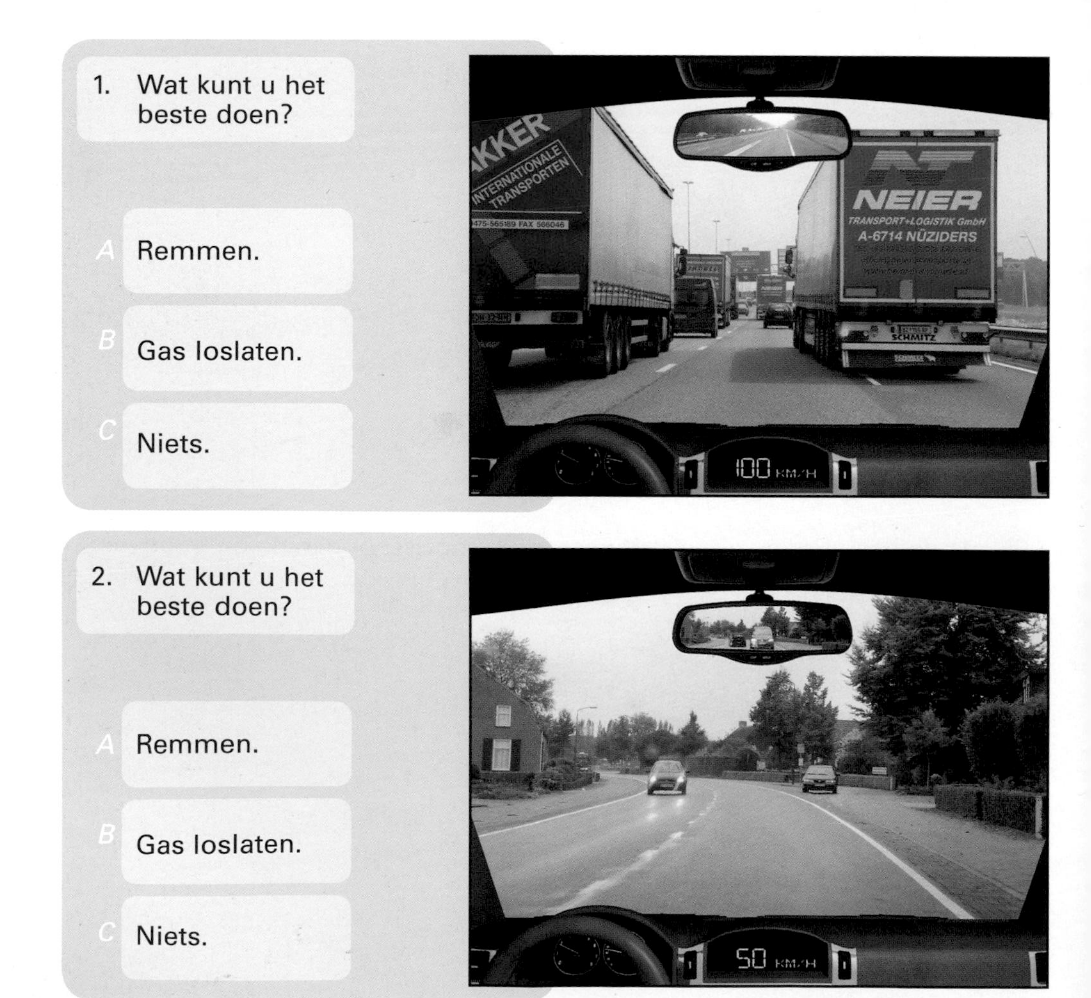

1. Wat kunt u het beste doen?

A Remmen.

B Gas loslaten.

C Niets.

2. Wat kunt u het beste doen?

A Remmen.

B Gas loslaten.

C Niets.

3. Wat kunt u het beste doen?

A Remmen.

B Gas loslaten.

C Niets.

4. Wat kunt u het beste doen?

A Remmen.

B Gas loslaten.

C Niets.

5. Wat kunt u het beste doen?

A Remmen.

B Gas loslaten.

C Niets.

6. Wat kunt u het beste doen?

A Remmen.

B Gas loslaten.

C Niets.

7. Wat kunt u het beste doen?

A Remmen.

B Gas loslaten.

C Niets.

8. Wat kunt u het beste doen?

A Remmen.

B Gas loslaten.

C Niets.

9. Wat kunt u het beste doen?

A Remmen.

B Gas loslaten.

C Niets.

10. Wat kunt u het beste doen?

A Remmen.

B Gas loslaten.

C Niets.

11. Wat kunt u het beste doen?

A Remmen.

B Gas loslaten.

C Niets.

12. Wat kunt u het beste doen?

A Remmen.

B Gas loslaten.

C Niets.

13. Wat kunt u het beste doen?

A Remmen.

B Gas loslaten.

C Niets.

14. Wat kunt u het beste doen?

A Remmen.

B Gas loslaten.

C Niets.

15. Wat kunt u het beste doen?

A Remmen.

B Gas loslaten.

C Niets.

16. Wat kunt u het beste doen?

A Remmen.

B Gas loslaten.

C Niets.

17. Wat kunt u het beste doen?

A Remmen.

B Gas loslaten.

C Niets.

18. Wat kunt u het beste doen?

A Remmen.

B Gas loslaten.

C Niets.

19. Wat kunt u het beste doen?

A Remmen.

B Gas loslaten.

C Niets.

20. Wat kunt u het beste doen?

A Remmen.

B Gas loslaten.

C Niets.

21. Wat kunt u het beste doen?

A Remmen.

B Gas loslaten.

C Niets.

22. Wat kunt u het beste doen?

A Remmen.

B Gas loslaten.

C Niets.

23. Wat kunt u het beste doen?

A Remmen.

B Gas loslaten.

C Niets.

24. Wat kunt u het beste doen?

A Remmen.

B Gas loslaten.

C Niets.

25. Wat kunt u het beste doen?

A Remmen.

B Gas loslaten.

C Niets.

26. Verlaat u nu de bebouwde kom?

☐ Ja.

☐ Nee.

27. U rijdt hier achteruit. Is dat toegestaan?

- [ ] Ja.
- [ ] Nee.

28. De profileringsdiepte van de hoofdgroeven van de banden bedraagt 1,2 mm. Mag u zo gaan rijden?

- [ ] Ja.
- [ ] Nee.

29. Moet u hier rekening houden met vee?

- [ ] Ja.
- [ ] Nee.

30. Rijdt u op een autoweg?

- Ja.
- Nee.

31. Rijdt u nu op een autosnelweg?

- Ja.
- Nee.

32. Met welk bord wordt een erf aangegeven?

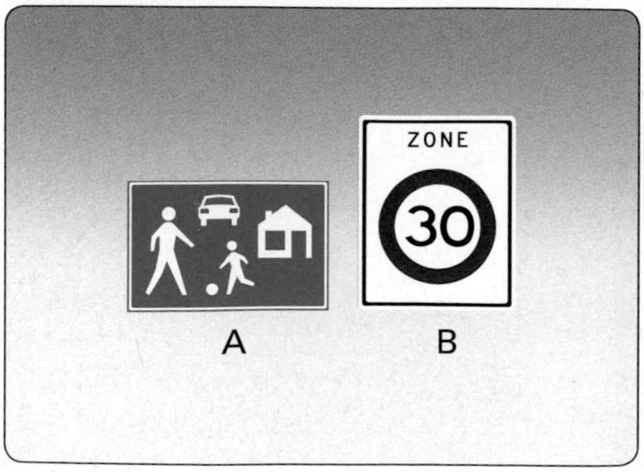

ZONE 30

A B

- A. Met bord A.
- B. Met bord B.
- C. Met zowel bord A als B.

33. Mag u deze weg gebruiken?

- [ ] Ja.
- [ ] Nee.

34. Bent u verplicht om richting aan te geven bij het invoegen?

- [ ] Ja.
- [ ] Nee.

35. Het zicht is 200 meter. Mag u nu mistlicht aan de achterzijde voeren?

- [ ] Ja.
- [ ] Nee.

36. Een personenauto op diesel moet:

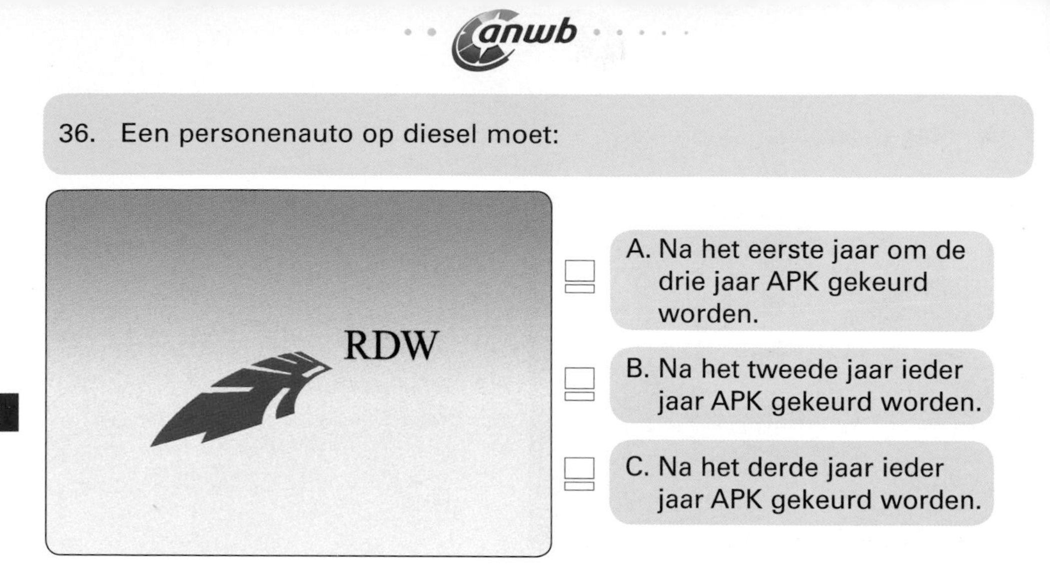

- A. Na het eerste jaar om de drie jaar APK gekeurd worden.
- B. Na het tweede jaar ieder jaar APK gekeurd worden.
- C. Na het derde jaar ieder jaar APK gekeurd worden.

37. U stopt om de rode auto voor te laten gaan. Doet u dat goed?

- Ja.
- Nee.

38. Wat betekent dit bord?

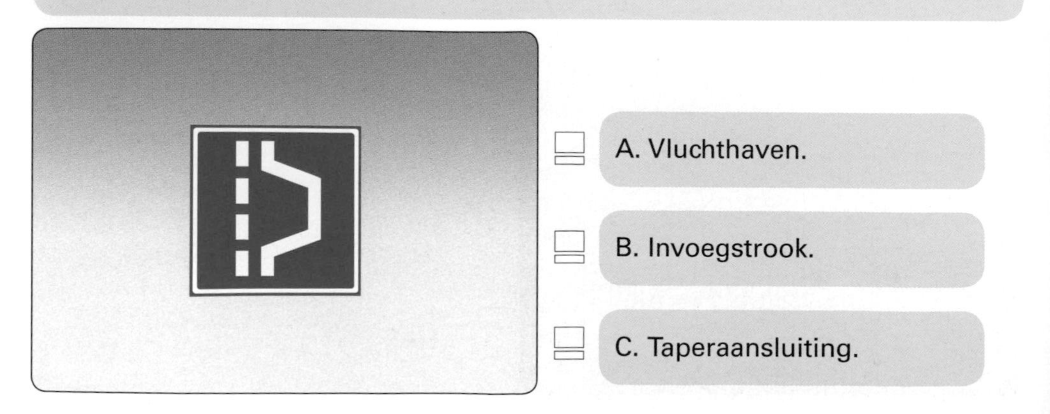

- A. Vluchthaven.
- B. Invoegstrook.
- C. Taperaansluiting.

39. De verlichte getallen boven de rijstroken geven een:

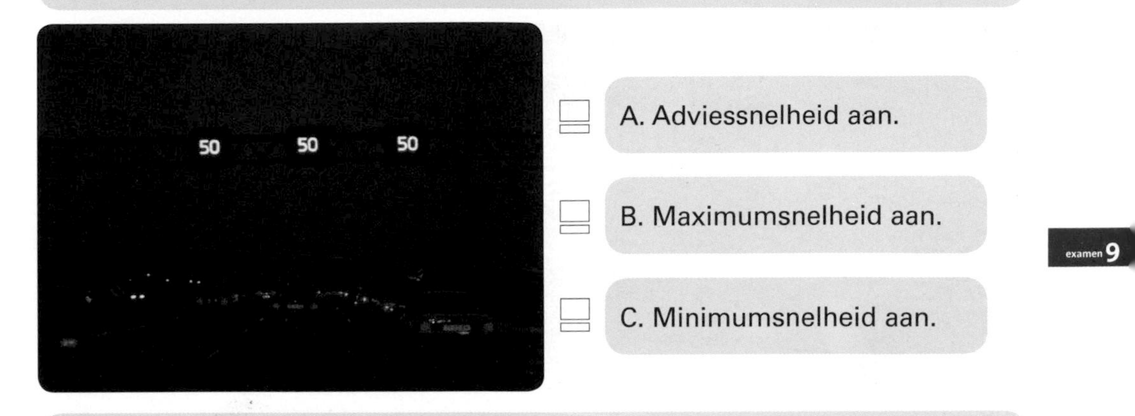

- [ ] A. Adviessnelheid aan.
- [ ] B. Maximumsnelheid aan.
- [ ] C. Minimumsnelheid aan.

40. Moet u wachten tot de rode overweglichten zijn gedoofd?

- [ ] Ja.
- [ ] Nee.

41. Mag u hier voor elkaar langs gaan bij het links afslaan?

- [ ] Ja.
- [ ] Nee.

42. U rijdt in een file. U verlaat de doorgaande rijbaan en volgt daartoe een uitrijstrook om vervolgens verderop weer in te voegen: mag dit?

- [ ] Ja.
- [ ] Nee.

43. Wat betekent dit bord?

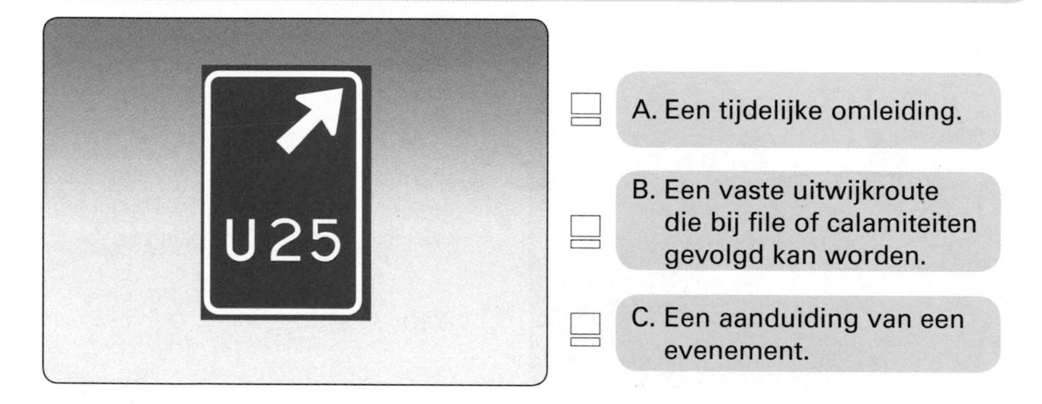

- [ ] A. Een tijdelijke omleiding.
- [ ] B. Een vaste uitwijkroute die bij file of calamiteiten gevolgd kan worden.
- [ ] C. Een aanduiding van een evenement.

44. Mag u overdag dimlichten voeren?

- [ ] Ja.
- [ ] Nee.

45. Ondeelbare lading is bijvoorbeeld:

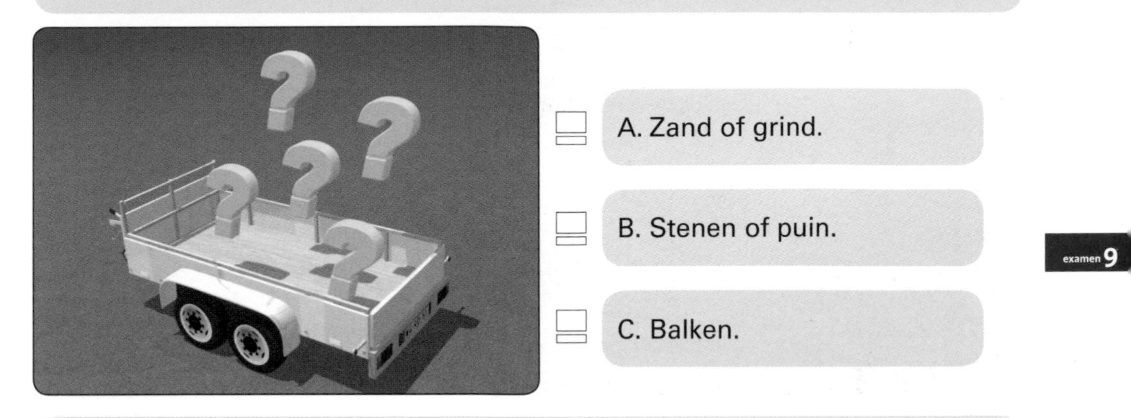

- [ ] A. Zand of grind.
- [ ] B. Stenen of puin.
- [ ] C. Balken.

46. U plaatst uw gevarendriehoek in deze situatie aan de voorzijde. Mag dat?

- [ ] Ja.
- [ ] Nee.

47. U wilt wegrijden op deze helling. Moet u richting aangeven?

- [ ] Ja.
- [ ] Nee.

48. Op welke rijstrook komt spoorvorming vaak voor?

- [ ] A. Op de linkerrijstrook.
- [ ] B. Op de rechterrijstrook.
- [ ] C. Maakt niet uit.

49. U bent een beginnende bestuurder. U pleegt een misdrijf als uw adem per liter uitgeademde lucht meer alcohol bevat dan:

..... microgram.

50. De toegestane maximummassa van een ongeremde aanhangwagen is:

..... kg.

51. De gegevens van de eigenaar of houder staan vermeld op het kentekenbewijs deel:

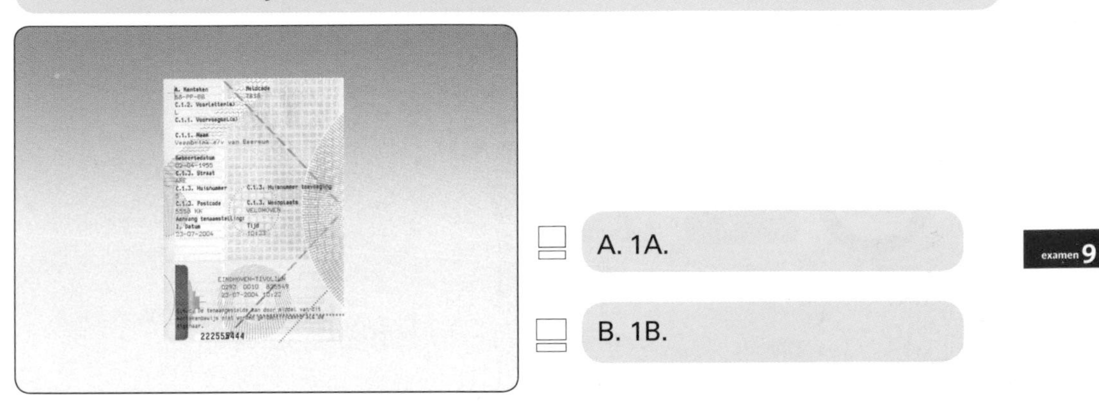

- [ ] A. 1A.
- [ ] B. 1B.

52. Bij dit bord geldt voor de meeste motorvoertuigen automatisch een maximumsnelheid van:

..... km per uur.

53. Wat is hier de juiste volgorde van voor laten gaan?

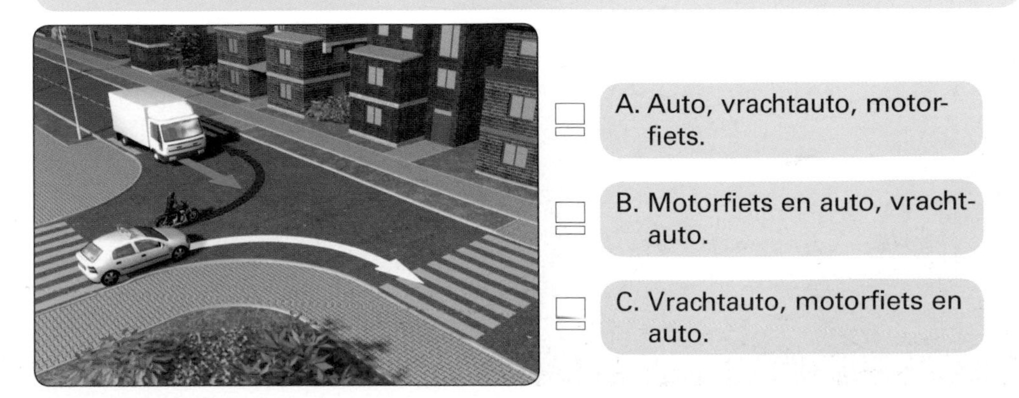

- [ ] A. Auto, vrachtauto, motorfiets.
- [ ] B. Motorfiets en auto, vrachtauto.
- [ ] C. Vrachtauto, motorfiets en auto.

54. Door welk(e) bord(en) wordt een maximumsnelheid aangegeven?

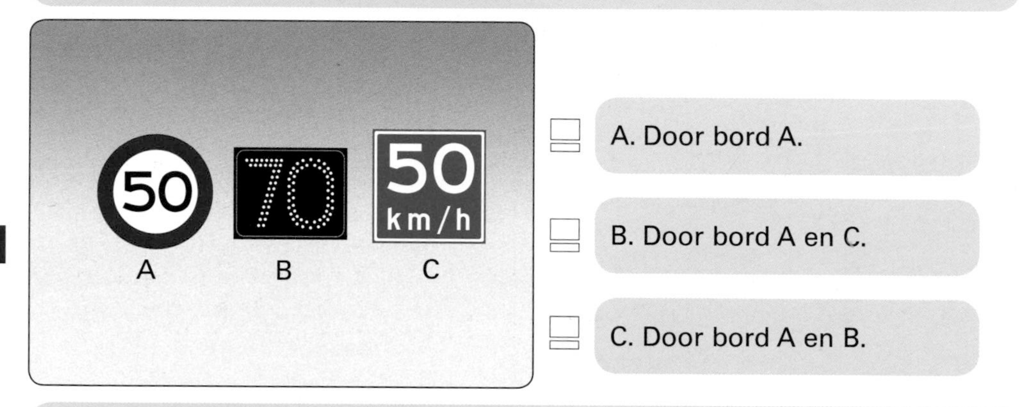

A. Door bord A.

B. Door bord A en C.

C. Door bord A en B.

55. Welke bestuurders mogen bij dit bord motorvoertuigen niet inhalen?

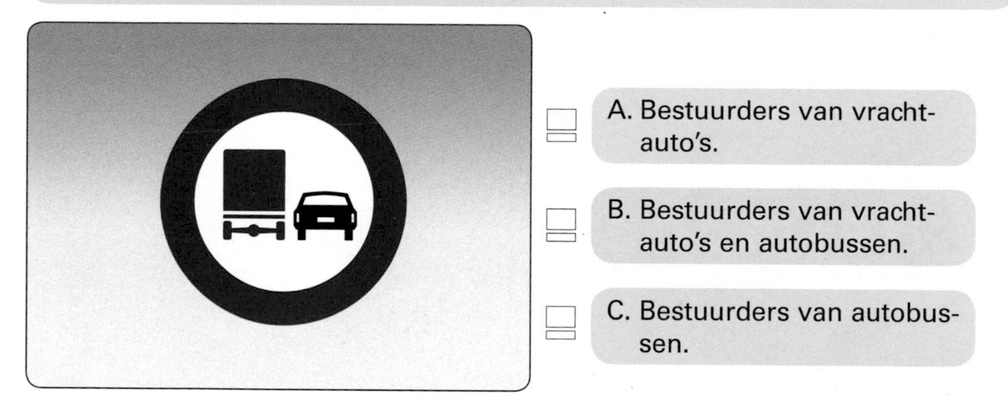

A. Bestuurders van vrachtauto's.

B. Bestuurders van vrachtauto's en autobussen.

C. Bestuurders van autobussen.

56. Hoe gebruikt u in een noodgeval de life-hamer?

A. U slaat zo dicht mogelijk bij de sponning aan de onderzijde van het venster met de scherpe, metalen punt.

B. U slaat zo dicht mogelijk bij de sponning aan de onderzijde van het venster met de stompe zijde.

C. U slaat met de scherpe, metalen punt in het midden van het venster.

57. Welke weggebruikers kunt u op deze rijbaan niet verwachten?

- A. Bestuurders van bromfietsen, snorfietsen en fietsen.
- B. Bestuurders van bromfietsen, snorfietsen en landbouwvoertuigen.
- C. Bestuurders van bromfietsen, snorfietsen en brommobielen.

58. U rijdt met een aanhangwagen. Verbruikt de auto dan meer brandstof?

- Ja.
- Nee.

59. Kost het rijden met een skibox meer brandstof?

- Ja.
- Nee.

60. Mag u op de openbare weg het motorblok schoonspuiten?

- [ ] Ja.
- [ ] Nee.

61. Tijdens het rijden moet u geen voorwerpen op het dashboard laten liggen, want dit:

- [ ] A. Blokkeert de voorruit-ontwaseming.
- [ ] B. Blokkeert de voorruit-ontwaseming en geeft een hinderlijke reflectie.
- [ ] C. Blokkeert de voorruitont-wasemig en geeft een hinderlijke reflectie en vermindert het uitzicht.

62. Om het motoroliepeil goed te kunnen controleren moet u:

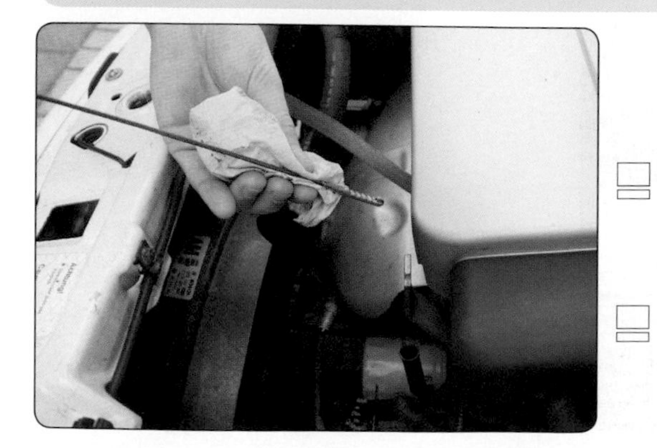

- [ ] A. Na het afzetten van de motor een paar minuten wachten voordat u de peilstok eruit trekt.
- [ ] B. Na het afzetten van de motor meteen de peilstok eruit trekken.

63. De hoofdsteun geeft de beste bescherming als de bovenkant van de hoofdsteun:

- [ ] A. Op dezelfde hoogte is afgesteld als de bovenkant van het hoofd.
- [ ] B. Op dezelfde hoogte is afgesteld als de plaats van de oren.

64. De achteruitversnelling is defect; mag u nu gaan rijden?

- [ ] Ja.
- [ ] Nee.

65. Bent u als betrokkene verplicht om het verkeersslachtoffer hulp te verlenen?

- [ ] Ja.
- [ ] Nee.

Examen 10

De antwoorden en motivaties vindt u op pagina 276.

1. Wat kunt u het beste doen?

A Remmen.

B Gas loslaten.

C Niets.

2. Wat kunt u het beste doen?

A Remmen.

B Gas loslaten.

C Niets.

3. Wat kunt u het beste doen?

A Remmen.

B Gas loslaten.

C Niets.

4. Wat kunt u het beste doen?

A Remmen.

B Gas loslaten.

C Niets.

5. Wat kunt u het beste doen?

A Remmen.

B Gas loslaten.

C Niets.

6. Wat kunt u het beste doen?

A Remmen.

B Gas loslaten.

C Niets.

7. Wat kunt u het beste doen?

A Remmen.

B Gas loslaten.

C Niets.

8. Wat kunt u het beste doen?

A Remmen.

B Gas loslaten.

C Niets.

9. Wat kunt u het beste doen?

A Remmen.

B Gas loslaten.

C Niets.

10. Wat kunt u het beste doen?

A Remmen.

B Gas loslaten.

C Niets.

11. Wat kunt u het beste doen?

A Remmen.

B Gas loslaten.

C Niets.

12. Wat kunt u het beste doen?

A Remmen.

B Gas loslaten.

C Niets.

13. Wat kunt u het beste doen?

A Remmen.

B Gas loslaten.

C Niets.

14. Wat kunt u het beste doen?

A Remmen.

B Gas loslaten.

C Niets.

15. Wat kunt u het beste doen?

A Remmen.

B Gas loslaten.

C Niets.

16. Wat kunt u het beste doen?

A Remmen.

B Gas loslaten.

C Niets.

17. Wat kunt u het beste doen?

A Remmen.

B Gas loslaten.

C Niets.

18. Wat kunt u het beste doen?

A Remmen.

B Gas loslaten.

C Niets.

19. Wat kunt u het beste doen?

A Remmen.

B Gas loslaten.

C Niets.

20. Wat kunt u het beste doen?

A Remmen.

B Gas loslaten.

C Niets.

21. Wat kunt u het beste doen?

A Remmen.

B Gas loslaten.

C Niets.

22. Wat kunt u het beste doen?

A Remmen.

B Gas loslaten.

C Niets.

23. Wat kunt u het beste doen?

A Remmen.

B Gas loslaten.

C Niets.

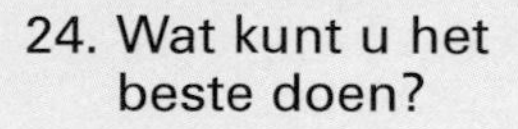

24. Wat kunt u het beste doen?

A Remmen.

B Gas loslaten.

C Niets.

25. Wat kunt u het beste doen?

A Remmen.

B Gas loslaten.

C Niets.

26. U wilt gaan inhalen. Is het verstandig om de slingerende fietser te waarschuwen door uw claxon te gebruiken?

☐ Ja.

☐ Nee.

27. Bent u nu verplicht om verlichting te voeren?

- [ ] Ja.
- [ ] Nee.

28. Mag u tussen de twee vrachtauto's invoegen?

- [ ] Ja.
- [ ] Nee.

29. Mag u nu op de hoofdrijbaan gaan rijden?

- [ ] Ja.
- [ ] Nee.

30. Mag u voor de fietsers rechts afslaan?

- [ ] Ja.
- [ ] Nee.

31. Nadert u hier een gelijkwaardig kruispunt?

- [ ] Ja.
- [ ] Nee.

32. Moet u het voorrangsvoertuig voor laten gaan?

- [ ] Ja.
- [ ] Nee.

33. De voorrangsregel binnen een erf is:

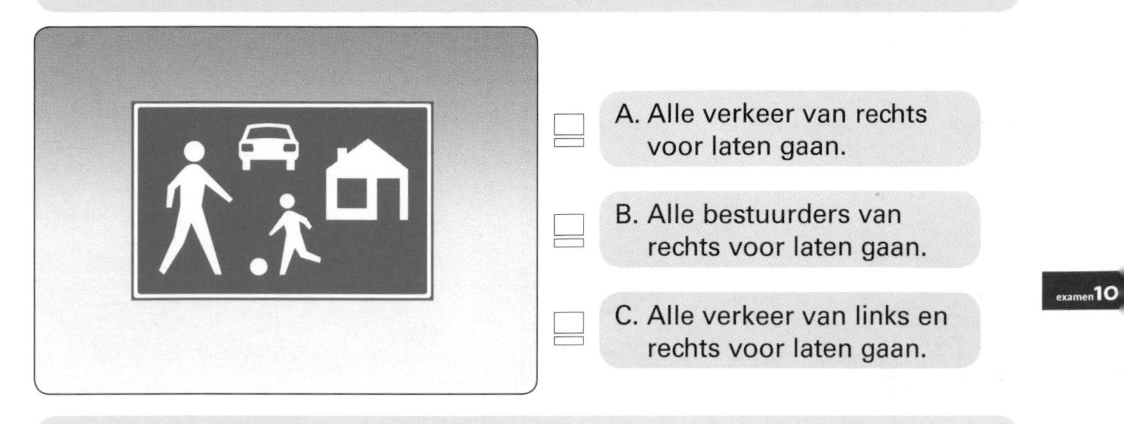

- [ ] A. Alle verkeer van rechts voor laten gaan.
- [ ] B. Alle bestuurders van rechts voor laten gaan.
- [ ] C. Alle verkeer van links en rechts voor laten gaan.

34. Moet u de fietser voor laten gaan?

- [ ] Ja.
- [ ] Nee.

35. U wilt op de rotonde halfrond. Mag dat?

- [ ] Ja.
- [ ] Nee.

36. Mag u doorrijden?

- [ ] Ja.
- [ ] Nee.

37. Mag u aan de linkerzijde van deze weg parkeren?

- [ ] Ja.
- [ ] Nee.

38. Wat betekent dit bord?

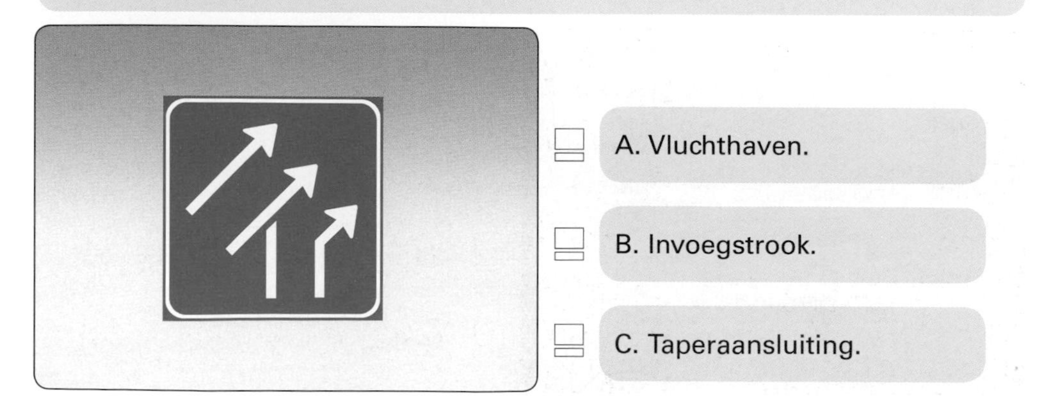

- [ ] A. Vluchthaven.
- [ ] B. Invoegstrook.
- [ ] C. Taperaansluiting.

39. U wilt links afslaan, moet u de voetgangers voor laten gaan?

- [ ] Ja.
- [ ] Nee.

40. Moet u het eerste voertuig van de militaire colonne voor laten gaan?

- [ ] Ja.
- [ ] Nee.

41. Zijn ambulances altijd voorrangsvoertuigen?

- [ ] Ja.
- [ ] Nee.

42. Moet u voor de haaientanden stoppen?

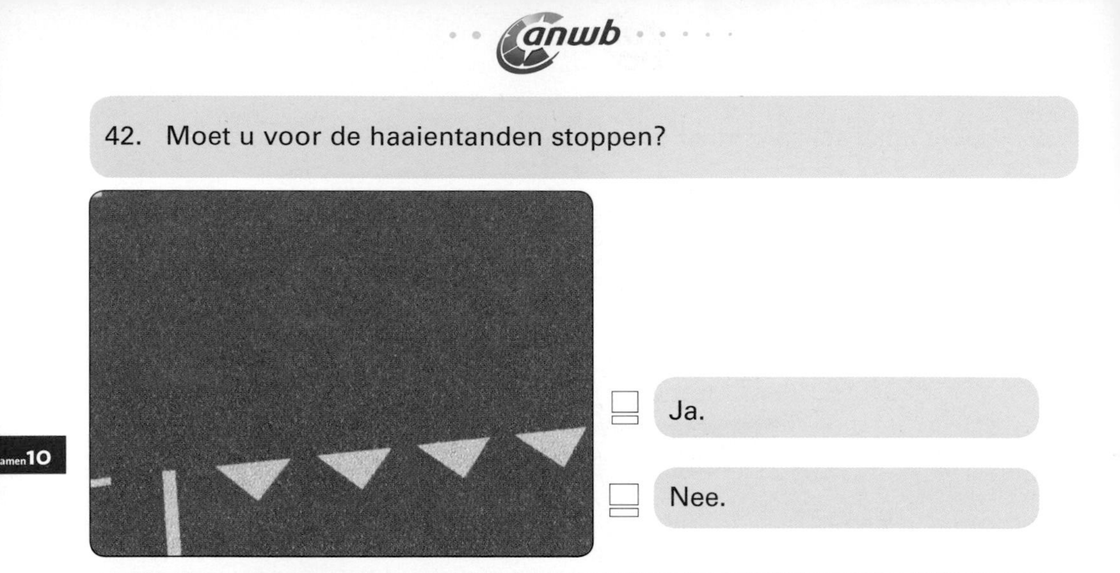

- Ja.
- Nee.

43. Mag u hier in de berm een passagier laten uitstappen?

- Ja.
- Nee.

44. Het laatste motorvoertuig van een militaire colonne moet aan de voorzijde zijn voorzien van:

- A. Twee groene vlaggen en twee groene koplichten.
- B. Rechts één groene vlag en twee groene koplichten.
- C. Rechts één groene vlag en rechts één groen koplicht.

45. Moet u stoppen om het eerste voertuig van de militaire colonne voor te laten gaan?

- Ja.
- Nee.

46. Mag u deze busstrook gebruiken?

- Ja.
- Nee.

47. Op hoeveel meter voor een overweg kunt u dit bord aantreffen?

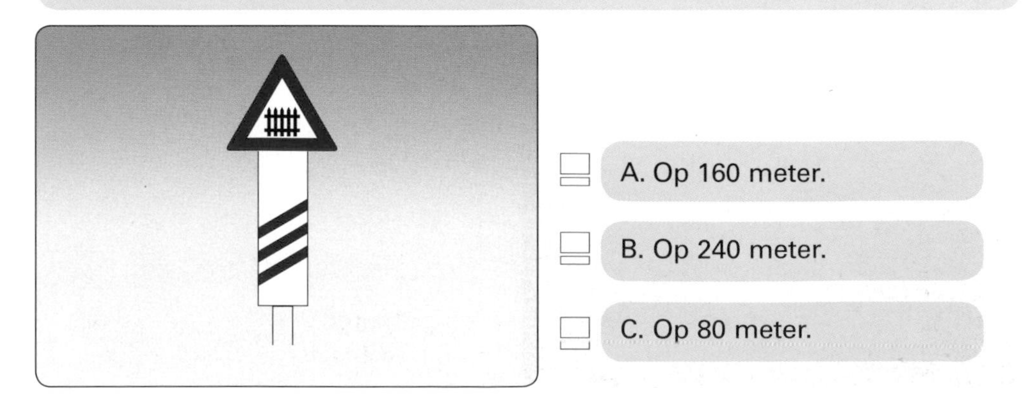

- A. Op 160 meter.
- B. Op 240 meter.
- C. Op 80 meter.

48. Mag u hier goederen lossen?

- [ ] Ja.
- [ ] Nee.

49. Hoe lang is uw rijbewijs geldig als u 30 jaar oud bent?

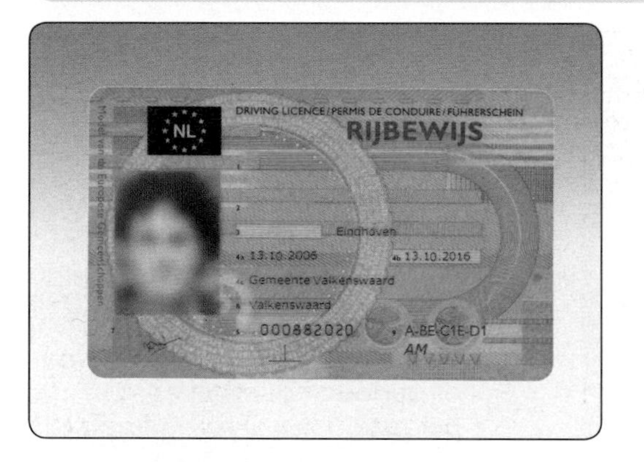

..... jaar.

50. Het mistachterlicht mag worden gevoerd wanneer het zicht door mist of sneeuwval minder is dan:

..... meter.

51. Wie moet u bij dit bord voor laten gaan op de kruisende weg?

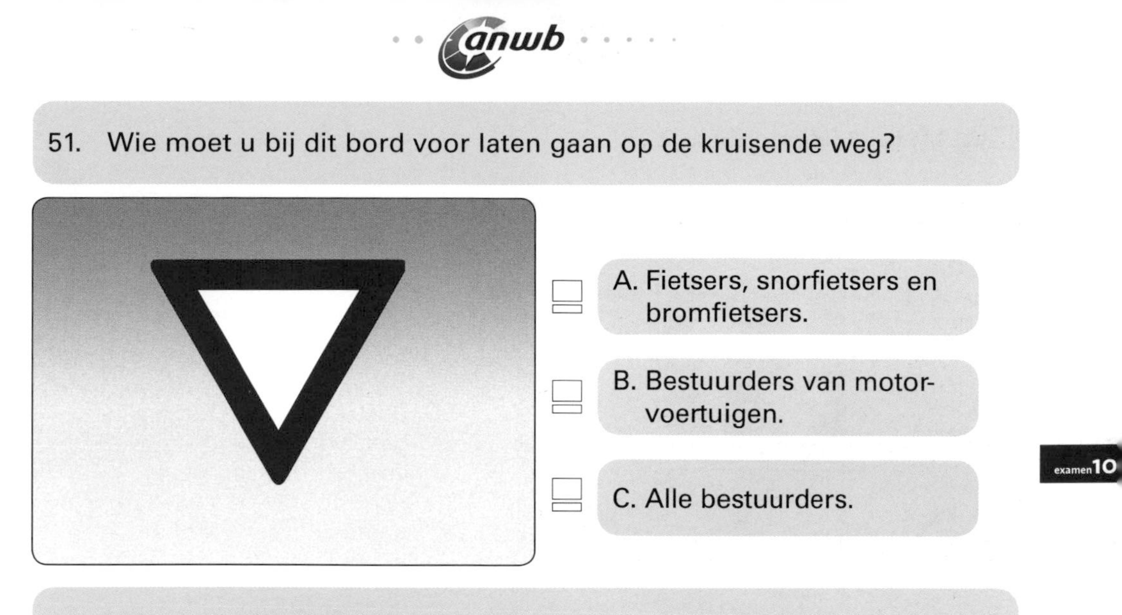

A. Fietsers, snorfietsers en bromfietsers.

B. Bestuurders van motorvoertuigen.

C. Alle bestuurders.

52. Wat kan met een onderbord bij dit bord worden aangegeven?

A. Alleen voor welke categorie voertuigen het erboven geplaatste parkeerverbod geldt.

B. Alleen voor welke dagen het erboven geplaatste parkeerverbod geldt.

C. Voor welke categorie voertuigen, in welke richting, op welke dagen, en op welke uren of periode het erboven geplaatste parkeerverbod geldt.

53. Bij welk(e) bord(en) kunt u verwachten dat er bromfietsers op de rijbaan rijden?

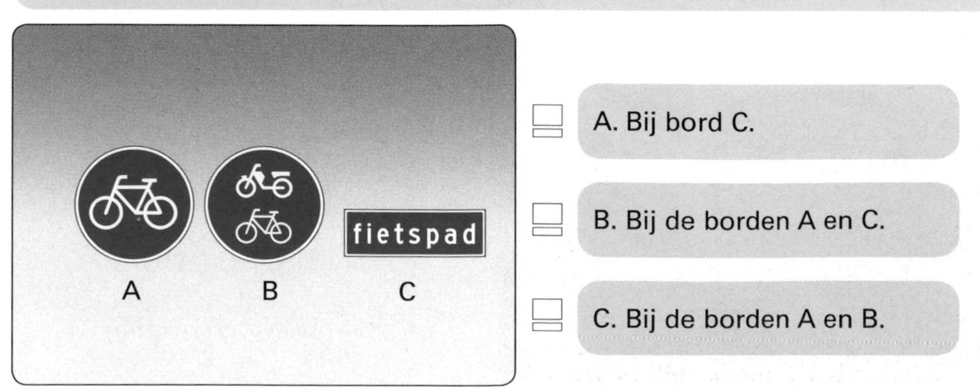

A. Bij bord C.

B. Bij de borden A en C.

C. Bij de borden A en B.

54. Wat betekent dit bord?

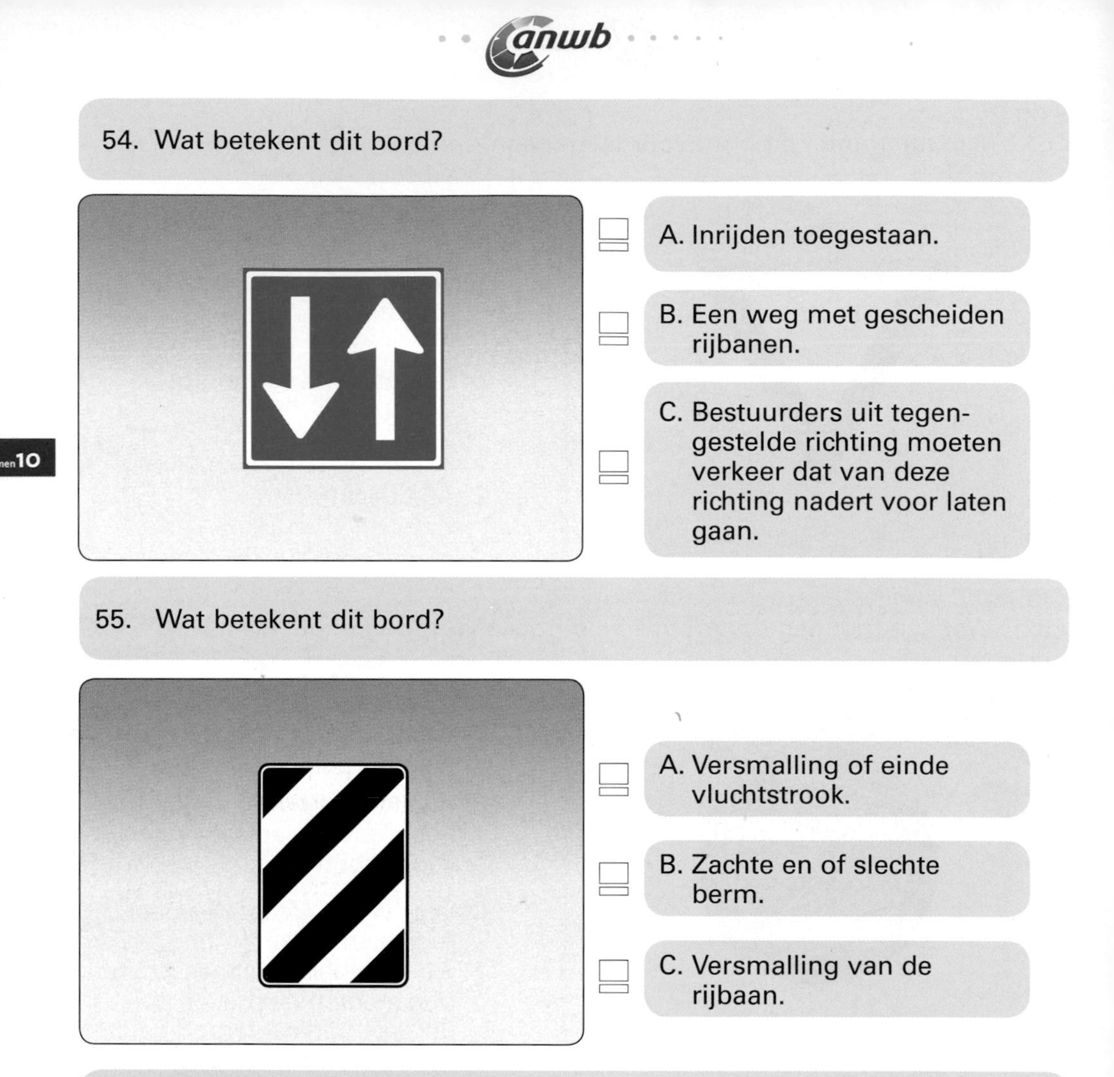

A. Inrijden toegestaan.

B. Een weg met gescheiden rijbanen.

C. Bestuurders uit tegengestelde richting moeten verkeer dat van deze richting nadert voor laten gaan.

55. Wat betekent dit bord?

A. Versmalling of einde vluchtstrook.

B. Zachte en of slechte berm.

C. Versmalling van de rijbaan.

56. Wat doet u als u met hoge snelheid in een zachte berm terecht komt?

A. U laat het gas los en stuurt pas weer terug de rijbaan op wanneer uw snelheid voldoende is verminderd.

B. U remt hard en stuurt pas weer terug de rijbaan op wanneer uw snelheid voldoende is vermindert.

C. U remt hard en begint direct met het sturen richting de rijbaan.

57. Is het verstandig dat u de auto voor het wegrijden enkele minuten warm laat draaien?

- [ ] Ja.
- [ ] Nee.

58. Welke verzekering moet ten minste van kracht zijn als u met een motorrijtuig aan het openbare verkeer deelneemt?

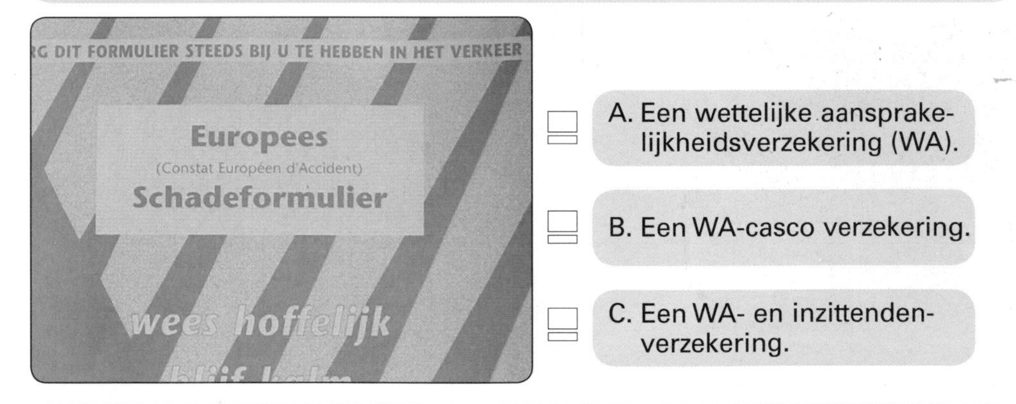

- [ ] A. Een wettelijke aansprakelijkheidsverzekering (WA).
- [ ] B. Een WA-casco verzekering.
- [ ] C. Een WA- en inzittendenverzekering.

59. Wanneer dient u mond-op-mondbeademing toe te passen?

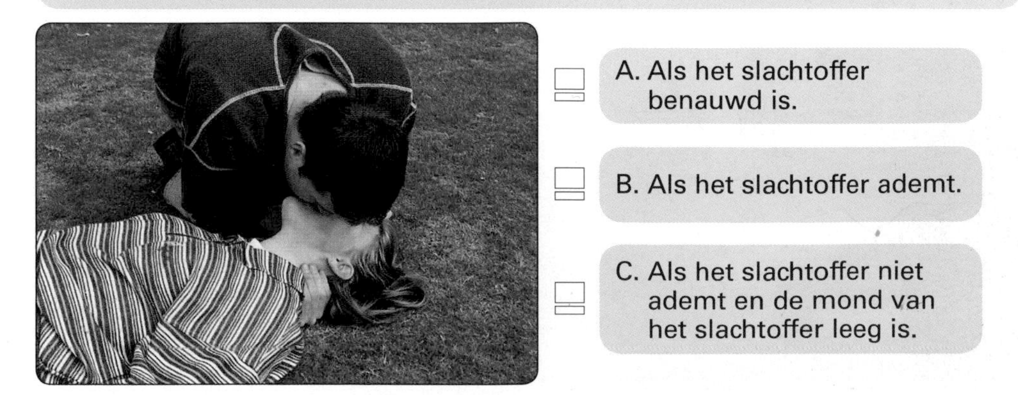

- [ ] A. Als het slachtoffer benauwd is.
- [ ] B. Als het slachtoffer ademt.
- [ ] C. Als het slachtoffer niet ademt en de mond van het slachtoffer leeg is.

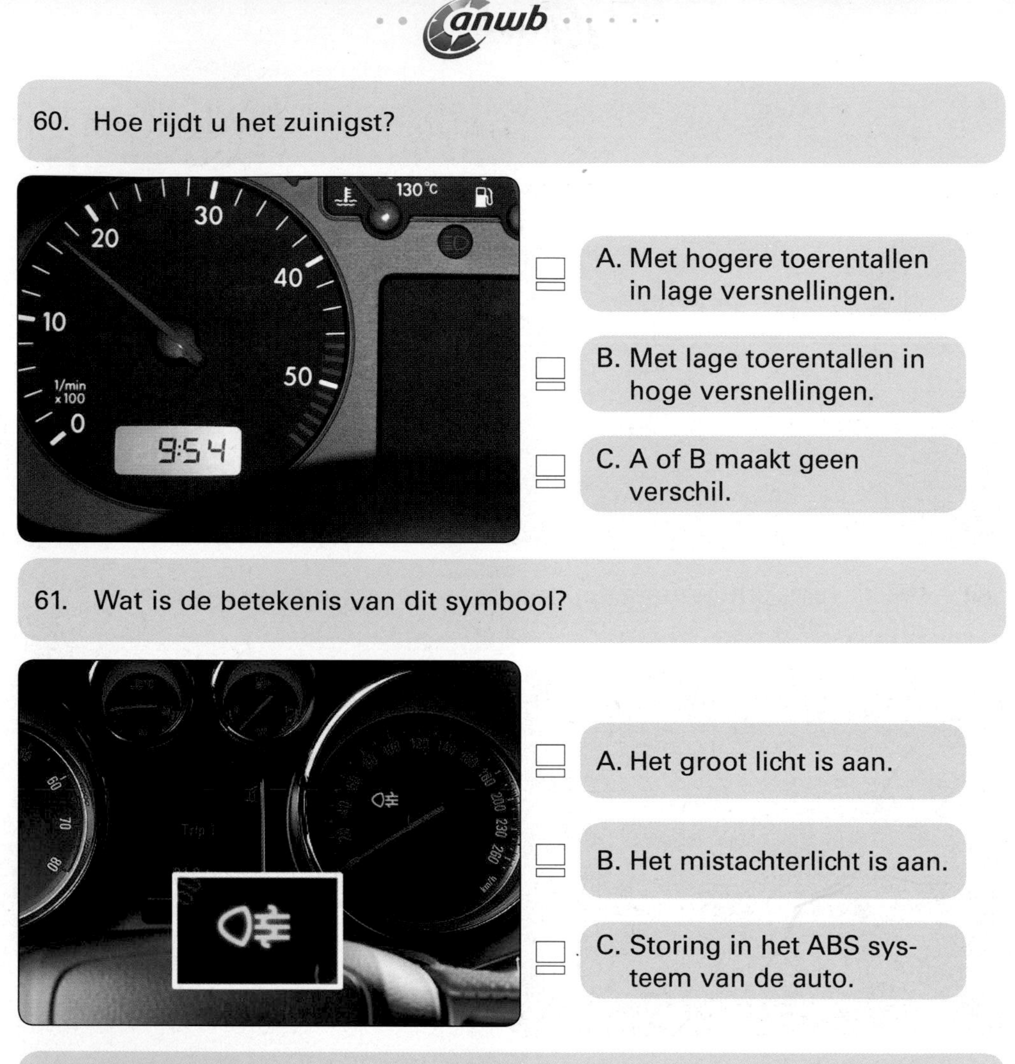

60. Hoe rijdt u het zuinigst?

- A. Met hogere toerentallen in lage versnellingen.
- B. Met lage toerentallen in hoge versnellingen.
- C. A of B maakt geen verschil.

61. Wat is de betekenis van dit symbool?

- A. Het groot licht is aan.
- B. Het mistachterlicht is aan.
- C. Storing in het ABS systeem van de auto.

62. Moet u met ingeschakelde cruise control, het gaspedaal blijven bedienen?

- Ja.
- Nee.

63. Waarom wordt wegverkanting toegepast?

- [ ] A. Dit is milieubewuster.
- [ ] B. Voor betere prestaties van de motor.
- [ ] C. Om de middelpuntvliedende kracht op te vangen.

64. Geeft het rijden met hoge snelheid, een verhoogde kans op aquaplaning?

- [ ] Ja.
- [ ] Nee.

65. Heeft een personenauto met de motor voorin, meestal een overstuurd karakter?

- [ ] Ja.
- [ ] Nee.

Antwoorden en motivaties examen 1

Gevaarherkenning

1. B Gas loslaten: In deze situatie is meer attentie vereist. U weet niet zeker wat de auto en graafmachine (gaan) doen.

2. A Remmen: U rijdt hier met een hoge snelheid en uw tegenligger neemt de binnenbocht. U moet wel remmen om een ongeval te voorkomen.

3. B Gas loslaten: Uw snelheid is laag, maar omdat de auto wegrijdt en u niet precies weet wat zijn/haar intentie is kunt u beter even gas loslaten.

4. C Niets: Er dreigt hier geen gevaar. Het verkeerslicht staat op groen en de auto voor u is nog ver van u verwijderd.

5. B Gas loslaten: Gezien de weersomstandigheden moet u niet zomaar remmen. U heeft nog genoeg tijd en ruimte zodat gas loslaten voldoende is.

6. B Gas loslaten: Hier is gewenst om ervoor te zorgen dat u meer afstand houdt en het is onduidelijk wat de snelheid is van de rode auto.

7. B Gas loslaten: U kunt niet zien wat zich achter het busje bevindt. Bij deze snelheid is gas loslaten gewenst om zo alert te zijn wanneer er wel iets achter de bestelauto aanwezig is.

8. C Niets: Er dreigt hier geen gevaar. U kunt de situatie goed overzien en daardoor gewoon met deze snelheid blijven rijden.

9. B Gas loslaten: U heeft wel voldoende ruimte maar u heeft geen idee wat zich achter de bestelauto bevindt. Bovendien staat er ook nog een pylon ter attentie.

10. A Remmen: Deze auto is aan het keren en blokkeert daarmee uw doorgang. U moet wel remmen om een aanrijding te voorkomen.

11. A Remmen: U heeft hier erg weinig ruimte, uw snelheid is te hoog en de meest rechtse fietser heeft geen zicht op u.

12. C Niets: Er dreigt hier geen gevaar. U kunt de situatie goed overzien en daardoor gewoon met deze snelheid blijven rijden.

13. B Gas loslaten: De auto voegt voor u in, door het gas los te laten bent u in deze situatie extra alert en klaar voor een eventuele opvolgende handeling.

14. A Remmen: Uw snelheid is in deze situatie veel te hoog en de ruimte is te beperkt. Bovendien heeft u erg slecht zicht op hetgeen zich achter de vrachtauto bevindt.

15. B Gas loslaten: U heeft weinig ruimte door deze straatveger en u weet niet precies wat hij van plan is. Om extra alert te zijn op eventuele handelingen van de straatveger moet u gas loslaten.

16. A Remmen: De autobus rijdt vlak voor u en besluit ineens van rijstrook te wisselen. U moet wel remmen, om daarmee een ongeval te voorkomen.

17. B Gas loslaten: Deze bochtpijlen geven aan dat u een onoverzichtelijke bocht nadert. Door gas los te laten bent u extra alert en voorbereid op hetgeen er in of na de bocht aanwezig is.

18. B Gas loslaten: In deze situatie is uw ruimte erg beperkt maar uw snelheid is wel laag. Door gas los te laten bent u extra alert en heeft u beter inzicht in de acties van de fietsers en auto.

19. B Gas loslaten: De bestelauto rijdt voor u de rijbaan op en waarschijnlijk met een iets lagere snelheid. Door het gas los te laten bent u extra alert.

20. A Remmen: Uw snelheid is in deze situatie veel te hoog en de fietsers kijken niet in uw richting en rijden vlak voor u de rijbaan op.

21. C Niets: Er dreigt hier geen gevaar. U kunt de situatie goed overzien en daardoor gewoon met deze snelheid blijven rijden.

22. A Remmen: De bromfietser komt voor u de rijbaan oprijden. Hij heeft een lagere snelheid dan u en geeft niet aan dat hij u gezien heeft.

23. C Niets: Er dreigt hier geen gevaar. U kunt de situatie goed overzien en daardoor gewoon met deze snelheid blijven rijden.

24. C Niets: U heeft in deze situatie voldoende (over)zicht en ruimte en er gebeurt niets dus kunt u met deze snelheid blijven rijden.

25. C Niets: U heeft in deze situatie voldoende (over)zicht en ruimte en er gebeurt niets dus kunt u met deze snelheid blijven rijden.

Maximumsnelheid

26. 30 km per uur. U rijdt in een zonegebied met een beperkte maximumsnelheid van 30 km per uur.

Algemene bepalingen

27. Nee Het is niet toegestaan om een driepuntsgordel als heupgordel te gebruiken.

Voorrang

28. C De bestuurders van de snorfiets en de auto komen niet met elkaar in conflict; zij vervolgen beiden hun weg. De bestuurder van de vrachtauto moet de bestuurder van de snorfiets voor laten gaan, omdat deze van rechts komt op een gelijkwaardig kruispunt. De bestuurder van de auto moet de bestuurder van de vrachtauto voor laten gaan, omdat deze van rechts komt op een gelijkwaardig kruispunt.

Verkeersborden
29. A Gesloten in beide richtingen voor voertuigen, ruiters, geleiders van rij-, trekdieren of vee. Het onderbord geeft aan dat dit hier alleen voor bestuurders van vrachtauto's van toepassing is. Een trekker met/zonder oplegger is ook een vrachtauto.

Voorrang
30. Ja Als u een uitrit verlaat moet u alle weggebruikers voor laten gaan. Ook voetgangers.

Voorrang
31. B Bij deze rotonde wordt de voorrang door borden geregeld. De bestuurder van de personenauto moet voorrang verlenen.

Plaats op de weg
32. Nee Het is niet toegestaan om een voetpad te gebruiken.

Voorrang
33. A De bestuurder van de bromfiets en de bestuurder van de auto komen niet met elkaar in conflict. De bestuurder van de vrachtauto moet de bestuurder van de bromfiets voor laten gaan, omdat deze van rechts komt op een gelijkwaardig kruispunt. De bestuurder van de auto moet de bestuurder van de vrachtauto voor laten gaan, omdat de bestuurder van de vrachtauto voor de automobilist tegemoetkomend verkeer is.

Verkeersborden
34. Nee Het bord geeft een gevaarlijk kruispunt aan.

Verkeersborden
35. B Gesloten voor motorvoertuigen met aanhangwagen; een bromfiets en fiets zijn geen motorvoertuigen.

Voorrang
36. Nee U bent alleen verplicht om bestuurders op de kruisende weg voor te laten gaan. Een voetganger is geen bestuurder.

Voorrang
37. Ja Bestuurders van trams die van links of van rechts komen op gelijkwaardige kruispunten moet u voor laten gaan.

Voorrang
38. Nee U rijdt op een onverharde weg en moet alleen bestuurders voor laten gaan. De voetganger is geen bestuurder.

Stilstaan
39. B Stilstaan naast een busstrook is verboden. Naast een busbaan is stilstaan wel toegestaan indien het geen gevaar oplevert.

Tegenkomen
40. Ja Alle verkeer uit de tegengestelde richting dient u voor te laten gaan; verkeer wil zeggen alle weggebruikers dus ook voetgangers.

Begrippsbepalingen
41. Ja U nadert een bestuurder van een bespannen wagen.

Inhalen
42. Nee Verbod voor motorvoertuigen om elkaar onderling in te halen; een tractor is een motorvoertuig.

Verkeersborden
43. Ja Het onderbord geeft aan dat de verplichte rijrichting alleen voor vrachtauto's geldt.

Afslaan
44. Ja Het bord geeft een volledige éénrichtingsweg aan en dan is het toegestaan om geheel links voor te sorteren, maar dat is niet verplicht.

Voorrang
45. Ja Voorrangsvoertuigen moet u voor laten gaan. Een brandweerauto is een voorrangsvoertuig als deze optische- en geluidssignalen gebruikt.

Stilstaan
46. Ja Er is een parkeerverbod op deze zijde van de rijbaan en geen verbod om stil te staan.

Inhalen
47. Ja Inhalen geschiedt links. Een tram mag u ook rechts inhalen. Let bij het inhalen op uitstappende passagiers.

Parkeren
48. Nee U staat naast een gele onderbroken streep en dan is parkeren niet toegestaan.

Parkeren
49. Nee Het bord geeft een parkeerverbod aan.

Inhalen
50. Ja Alle bestuurders zijn verplicht passagiers de gelegenheid te geven in- en uit te stappen. Dit geldt niet als de passagiers op een uitstapbordes in- en uitstappen.

Inhalen
51. Ja Er is hier sprake van file en dan is rechts inhalen toegestaan. Let wel op de bestuurders op de linkerrijstrook die zich naar de rechterrijstrook willen verplaatsen.

Verkeersborden
52. A Gesloten voor voertuigen inclusief lading breder dan op het bord aangegeven.

Voorrang
53. Nee Alleen voorrangsvoertuigen moet u voor laten gaan. Een ambulance is pas een voorrangsvoertuig als deze optische- en geluidssignalen gebruikt.

Lading
54. 1 meter. De lading mag maximaal 1 meter achter het voertuig uitsteken.

Gebruik van lichten
55. Nee U gebruikt uw knipperende waarschuwingslichten in plaats van de gevarendriehoek en dat is toegestaan.

Verkeersborden
56. Nee Het bord 'kinderen' geeft aan dat u in een kinderrijk gebied rijdt, extra voorzichtigheid is dan geboden.

Voertuigcontrole
57. A Het cijfer 1.
De vlakken met het cijfer één geven de dode hoeken van een personenauto aan. De vlakken met het cijfer twee is het gezichtsveld van de buitenspiegels en het vlak met het cijfer drie heeft het gezichtsveld van de binnenspiegel aan.

Overwegen
58. Ja Het andreaskruis geeft aan dat er twee of meer sporen zijn. Wacht tot de bomen geheel omhoog zijn en het rode overweglicht is gedoofd.

Zuinig en milieubewust autorijden
59. A Bij direct rustig en beheerst wegrijden verbruikt uw auto het minste brandstof.

Gebruik van lichten
60. B Groot licht is overdag niet toegestaan. Dimlicht is hier gewenst vanwege de laan met bomen.

Tunnels
61. Ja Als u bij dag een tunnel inrijdt is het, in verband met de zichtbaarheid, verstandig om verlichting te voeren.

Voertuigcontrole
62. Nee De ruiten moeten rondom heel, schoon, sneeuw- en ijsvrij zijn.

Voertuigcontrole
63. Nee De binnenspiegel moet zo staan dat het achter de auto gelegen weggedeelte geheel en goed te overzien is.

Algemene bepalingen
64. Ja Om huisdieren veilig te vervoeren zijn er diverse geschikte mogelijkheden. Voor honden is er bijv. een speciaal veiligheidstuigje. En u doet er verstandig aan uw huisdier altijd op de achterbank te vervoeren.

Inrichtingseisen auto
65. Nee Een auto moet zijn voorzien van ruiten die geen beschadigingen of verkleuringen vertonen en mogen niet zijn voorzien van onnodige voorwerpen die het uitzicht belemmeren.

Antwoorden en motivaties examen 2

Gevaarherkenning

1.	C	Niets:	Uw snelheid is laag en de auto moet wachten op u. De fietser is ook nog ver van u verwijderd.
2.	B	Gas loslaten:	In deze situatie is het gas loslaten gewenst omdat de ruimte beperkt is en bovendien nadert u een scooter.
3.	A	Remmen:	In de bocht fietst een moeder met kind, de deur van de tractor staat open. De situatie is erg onoverzichtelijk. U zult uw snelheid terug moeten brengen door te remmen.
4.	B	Gas loslaten:	Deze man wast zijn auto en heeft geen aandacht voor het overige verkeer en heeft u wellicht niet opgemerkt. Extra oplettendheid is hier zeker op zijn plaats.
5.	C	Niets:	Er dreigt hier geen gevaar. U kunt de situatie goed overzien en daardoor gewoon met deze snelheid blijven rijden.
6.	A	Remmen:	De auto voor u remt en vanwege uw snelheid en de volgafstand zult u ook moeten remmen.
7.	C	Niets:	U rijdt de maximum toegestane snelheid van 90 km per uur en bovendien heeft u voldoende overzicht en ruimte dus u hoeft hier niets te doen.
8.	B	Gas loslaten:	De auto met aanhangwagen wil de vrachtauto inhalen en u rijdt met ongeveer dezelfde snelheid maar om extra alert te zijn moet u het gas loslaten.
9.	C	Niets:	De weg voor en achter u is vrij. U heeft voldoende ruimte en u kunt gewoon met deze snelheid blijven rijden.
10.	B	Gas loslaten:	U nadert hier een kruispunt met een fietspad. U moet voorrang verlenen aan fietsers op dit kruispunt. U heeft slecht zicht dus moet u extra alert zijn.
11.	A	Remmen:	Uw afstand tot uw voorligger is te klein en bovendien remt deze auto ook nog af. U zult moeten remmen om een aanrijding te voorkomen.
12.	C	Niets:	De weg voor en achter u is vrij. U heeft voldoende ruimte en u kunt gewoon met deze snelheid blijven rijden.
13.	B	Gas loslaten:	De vrachtauto wil voor u invoegen, u heeft nagenoeg dezelfde snelheid maar voor extra zekerheid kunt u beter even het gas loslaten.
14.	B	Gas loslaten:	Uw snelheid is wel laag maar het is totaal onduidelijk wat de fietsers gaan doen. Door gas los te laten bent u extra voorbereid op hun acties.

15. C Niets: De weg voor en achter u is vrij. U heeft voldoende ruimte en het verkeerslicht staat tevens op groen.

16. C Niets: U heeft voldoende ruimte en uw tegenligger zal moeten wachten op de straatveger. Er is geen dreigend gevaar in deze situatie.

17. A Remmen: Er komt een fietser achter de bestelauto vandaan. De fietser kan u niet zien en u heeft geen ruimte. U moet wel remmen.

18. A Remmen: Er rolt een bal de rijbaan op. In dit soort situaties komt daar vrijwel altijd een kind achteraan gerend. U moet dus meteen remmen.

19. B Gas loslaten: Uw snelheid is wel laag maar het is onduidelijk wat deze persoon in het gehandicaptenvoertuig gaat doen. Door gas los te laten bent u extra alert.

20. B Gas loslaten: Uw ruimte is beperkt en deze wegwerker loopt ook gedeeltelijk op de rijbaan. Voor de veiligheid en eventuele onverwachte acties is het beter het gas los te laten.

21. A Remmen: Uw afstand tot uw voorligger is te klein en bovendien remt deze ook nog. U zult moeten remmen om een botsing te voorkomen.

22. B Gas loslaten: Na de geparkeerde auto heeft u voldoende ruimte. Het is onzeker of de fietser u heeft opgemerkt en opzij zal gaan. Wees extra alert.

23. C Niets: De bestelauto met de aanhangwagen is voor u geen gevaar en u heeft voldoende afstand tot de auto voor u. Zeker gezien uw snelheid kunt u zo blijven rijden.

24. A Remmen: De vrachtauto voor u rijdt ongeveer 80 km per uur en dus veel langzamer dan u. Bovendien remt de vrachtauto ook nog. U moet dus wel remmen in deze situatie.

25. A Remmen: Er komen twee auto's door de bocht. Uw snelheid en de afstand tot de twee auto's laten het niet toe om tegelijkertijd door de bocht te gaan. U moet nu remmen.

Verkeerstekens op de weg

26. B De schuine witte strepen op het wegdek betreffen een verdrijvingsvlak en mogen door bestuurders niet bereden worden.

Rotondes

27. Nee Het is niet toegestaan een doorgetrokken streep te overschrijden. In deze situatie is dat om onjuist volgen van de rotonde te voorkomen.

Lading

28. 0 meter. Lading mag aan de voorkant van een aanhangwagen nooit uitsteken. Dit zou gevaarlijk kunnen zijn bij het afslaan.

Verkeersborden

29. Ja Het bord geeft een gevaarlijk kruispunt aan.

Alcohol, geneesmiddelen en drugs

30. A 7,5 uur. Het afbreken van 1 standaard glas alcoholhoudende drank (van welke soort ook) vergt ongeveer 1,5 uur.

Voorrang

31. A Verkeer dat de rotonde verlaat moet rechtdoorgaand verkeer op de rotonde voor laten gaan.

Verkeersborden

32. B Tunnels zijn voor wat betreft gevaarlijke stoffen verdeeld in categorieën. Stoffen van de categorie C mogen door deze tunnel niet worden vervoerd.

Voorrang

33. Ja Het bord geeft aan dat u moet stoppen en voorrang moet verlenen aan de bestuurders op de kruisende weg. Ook moet u stoppen (stopstreep!) als er geen bestuurders op die weg rijden.

Voorrang

34. Nee Het bord geeft aan dat u een voorrangskruispunt nadert. De bestuurder van de rode auto moet u voor laten gaan.

Voorrang

35. Nee Het bord geeft het einde van de voorrangsweg aan.

Voorrang

36. Ja Deze bestuurder komt van rechts en u rijdt niet meer op een voorrangsweg.

Voorrang

37. C De voetganger gaat voor omdat hij bij een voetgangersoversteekplaats staat en deze kennelijk wil oversteken. De vrachtauto moet de auto voor laten gaan, omdat op deze rotonde de normale voorrangsregels gelden. De rotonde is namelijk niet voorzien van voorrangsborden of 'haaientanden'. De bestuurder van de auto komt op dit gelijkwaardige kruispunt van rechts.

Begripsbepalingen

38. A Elk motorvoertuig met meer dan acht zitplaatsen (de bestuurder uitgezonderd) valt onder het begrip autobus.

Stilstaan

39. Nee U moet te allen tijde de spoorwegovergang vrijhouden.

Tegenkomen

40. A Bestuurders uit tegengestelde richting moeten verkeer dat van deze richting nadert voor laten gaan.

Maximumsnelheid
41. A U verlaat de autoweg waar een maximumsnelheid geldt van 100 km per uur. U rijdt nu buiten de bebouwde kom en daar geldt een maximumsnelheid van 80 km per uur.

Afslaan
42. Ja Het rode verkeerslicht geeft voor uw rijstrook aan dat u moet stoppen.

Verkeersborden
43. C Gesloten voor voertuigen en samenstellen van voertuigen die, met inbegrip van de lading, langer zijn dan op het bord is aangegeven.

Parkeren
44. Nee Het is niet toegestaan om op een kruispunt te parkeren.

Parkeren
45. Nee Het is niet toegestaan om op de rijbaan naast een busstrook stil te staan. Parkeren mag dan zeker niet.

Stilstaan
46. 5 meter. Binnen 5 meter van een voetgangersoversteekplaats is stilstaan verboden.

Stilstaan
47. Nee Bij een bushalte mag u de auto niet laten stilstaan binnen 12 meter van de halte of langs de blokmarkering. Dus ook niet parkeren. Wel is in en uit laten stappen van passagiers toegestaan.

Inhalen
48. Nee U moet dan de doorgetrokken streep overschrijden en dat mag niet.

Inhalen
49. Ja De onderbroken streep bevindt zich aan uw zijde van de rijstrook en deze mag u overschrijden.

Autosnelwegen
50. Ja U rijdt op een autosnelweg. Herkenbaar aan het rode bord met A16. De maximumsnelheid op een autosnelweg is 120 km per uur.

Voorrang
51. C De bestuurders van de vrachtauto en de snorfiets komen niet met elkaar in conflict; zij vervolgen beiden hun weg. De bestuurder van de auto moet volgens het verkeersbord en de 'haaientanden' (= verleen voorrang aan bestuurders op de kruisende weg) de bestuurder van de snorfiets en de bestuurder van de vrachtauto voor laten gaan.

Autowegen
52. Nee Op auto(snel)wegen is het niet toegestaan om achteruit te rijden.

Gebruik van lichten
53. Nee Het is niet toegestaan om overdag groot licht te voeren.

Inhalen
54. B Voor vrachtauto's is het verboden om motorvoertuigen in te halen.

Verkeersborden

55. C Maximumsnelheid op een elektronisch signaleringsbord.

Autosnelwegen

56. C Om veilig te kunnen invoegen moet u o.m. in de binnenspiegel, linkerbuitenspiegel en links opzij kijken in de dode hoek.

Ritvoorbereiding

57. Ja Bij een snelheid van 100 km per uur kan het meerverbuik al gauw oplopen tot 6%, bij twee geopende ramen zelfs tot 10%.

Gebruik van lichten

58. C Zeker als u de laagstaande zon in de rug hebt, is het veiliger om dimlicht te voeren. Tegenliggers die door het felle zonlicht verblind worden kunnen zo de verlichte voertuigen beter en eerder opmerken.

Parkeren

59. Nee Vlak na de top van een helling is het levensgevaarlijk om uw auto te parkeren. U brengt het overige verkeer onnodig in gevaar.

Instappen

60. Nee Het is niet verstandig om tijdens het rijden het portier op slot te houden. Dit kan in noodgevallen uw redding belemmeren.

Milieubewust autorijden

61. Nee Om zuinig en milieubewust te rijden, mag u de motor niet stationair laten warmdraaien. U moet na het starten meteen rustig wegrijden.

Voertuigcontrole

62. Ja Om schade aan de motor te voorkomen, moet u het oliepeil op gezette tijden controleren.

Tractoren en landbouwvoertuigen

63. Ja U moet hier rekening houden met de modder op de rijbaan, want menig bestuurder is daardoor al in een ongewilde slip geraakt.

Parkeren

64. Nee Op het bonnetje uit de parkeerautomaat staat de tijd aangegeven hoelang u mag parkeren. Daarom moet u het bonnetje op een goed zichtbare plaats in de auto achterlaten, zodat de parkeerwachter of de politie kan controleren of u de toegestane parkeertijd wel of niet hebt overschreden.

Autosnelwegen

65. B Snelheid opvoeren en voor de vrachtauto invoegen.
Voor de vrachtauto is er veel ruimte. Daarom kunt u het beste de snelheid opvoeren en de vrachtauto ruim inhalen. Daarna voor de vrachtauto invoegen. Let daarbij wel op eventuele auto's die na het links inhalen van de vrachtauto op de rechter rijstrook willen gaan rijden.
Rem nooit om zo achter de vrachtauto in te gaan voegen!

Antwoorden en motivaties examen 3

Gevaarherkenning

1.	B	Gas loslaten:	U rijdt rustig maar u weet niet of de bestuurder u (goed) kan zien. U moet hier extra alert zijn, ook voor de fietser en het gas loslaten.
2.	A	Remmen:	Er komt iemand met een kruiwagen tussen de auto's vandaan. Deze persoon kan u niet zien. Gezien uw snelheid moet u wel remmen.
3.	B	Gas loslaten:	Er is in deze situatie veel onduidelijkheid. U weet niet wat de auto links gaat doen. Bovendien is het zicht erg beperkt en weet u niet of de fietsers op tijd voor u weg zullen zijn.
4.	A	Remmen:	De auto voor u remt en vanwege uw snelheid en de afstand zult u ook moeten remmen.
5.	B	Gas loslaten:	De auto met aanhangwagen wil de vrachtauto inhalen. U rijdt met hogere snelheid (de auto met aanhangwagen mag maximaal 90 km per uur) dus moet u uw gas loslaten.
6.	C	Niets:	U haalt hier de grijze auto in maar verder heeft u voldoende ruimte en (over)zicht. U kan met deze snelheid gewoon blijven rijden.
7.	B	Gas loslaten:	Er komt tegemoetkomend verkeer en de bocht is onoverzichtelijk. Voor de zekerheid kunt u hier beter het gas loslaten.
8.	A	Remmen:	Er komt een tegenligger aan en u bent de straatveger zo dicht genaderd dat u wel moet remmen.
9.	A	Remmen:	Deze fietser stuurt de weg voor u op zonder naar u te kijken. Gezien uw snelheid is het nodig om te remmen.
10.	B	Gas loslaten:	Uw snelheid en die van de bestelauto zullen niet veel van elkaar verschillen. Om extra op uw hoede te zijn moet u hier het gas loslaten.
11.	C	Niets:	U heeft in deze situatie voldoende (over)zicht en ruimte en er gebeurt niets dus kunt u met deze snelheid blijven rijden.
12.	C	Niets:	U heeft in deze situatie voldoende (over)zicht en ruimte en er gebeurt niets dus kunt u met deze snelheid blijven rijden.
13.	C	Niets:	U heeft in deze situatie voldoende (over)zicht en ruimte en er gebeurt niets dus kunt u met deze snelheid blijven rijden.
14.	A	Remmen:	De auto voor u remt en uw volgafstand is zodanig dat u moet remmen om een aanrijding te voorkomen.

15. C	Niets:	Door de weersomstandigheden en de vrachtauto vlak achter u, kunt u beter doorrijden dan abrupt remmen waardoor de vrachtauto u vanachter aanrijdt.
16. A	Remmen:	U bent de fietsers erg dicht genaderd maar ze steken toch over. U moet wel remmen om te voorkomen dat u ze aanrijdt.
17. C	Niets:	U heeft in deze situatie voldoende ruimte en zicht waardoor u gewoon met deze snelheid kan blijven rijden
18. B	Gas loslaten:	De geparkeerde vrachtauto en de bestelauto zorgen ervoor dat u ruimtegebrek heeft. Door gas los te laten bent u extra alert.
19. B	Gas loslaten:	U rijdt met de rest van het verkeer mee maar de blauwe auto wil toch voor u invoegen. Om extra op uw hoede te zijn kunt u het beste het gas loslaten
20. B	Gas loslaten:	Deze fietser wil links af gaan. Het is voor u onduidelijk of hij voor gaat of wacht tot u voorbij bent. Door die onduidelijkheid kunt u beter het gas loslaten.
21. A	Remmen:	Door een bijzondere verrichting staat deze auto midden op de rijbaan en blokkeert uw doorgang. U moet hier wel remmen gezien uw snelheid en afstand.
22. A	Remmen:	U nadert de overstekende fietsers met een te hoge snelheid. U moet wel remmen om een aanrijding te voorkomen.
23. A	Remmen:	U nadert een bocht met 50 km per uur, Vlak voor u opent iemand ineens de portier. U moet hier meteen remmen.
24. B	Gas loslaten:	De bocht is onoverzichtelijk en u weet niet wat deze twee verhuizers gaan doen. Voor de zekerheid kunt u het beste het gas loslaten.
25. A	Remmen:	Deze fietsers zijn te dichtbij, er is hier sprake van een gevaarlijke situatie dus zult u moeten remmen.

Voorrang

26. B Een militaire colonne mag niet worden doorsneden. De bestuurder van de tram moet de militaire colonne daarom voor laten gaan. Ten opzichte van de bestuurder van de auto gaat de militaire colonne rechtdoor op dezelfde weg. De automobilist moet de militaire colonne daarom voor laten gaan. De bestuurder van de auto moet ook de bestuurder van de tram voor laten gaan, omdat deze van rechts komt op een gelijkwaardig kruispunt.

Verkeersborden

27. C Eénrichtingsweg, in deze richting gesloten voor voertuigen, ruiters en geleiders van rij-, of trekdieren of vee.

Verkeerslichten
28. C Nadering gevaarlijk punt. Voorzichtigheid geboden.

Algemene bepalingen
29. Ja U en uw passagiers voor- en achterin moeten bij deelname aan het verkeer gebruikmaken van de aanwezige autogordels.

Voorrang
30. C De bestuurders van de auto en de snorfiets komen niet met elkaar in conflict.
De bestuurder van de motorfiets moet de bestuurder van de snorfiets voor laten gaan, omdat deze voor hem van rechts komt op een gelijkwaardig kruispunt.
De bestuurder van de afbuigende auto moet de bestuurder van de motorfiets voor laten gaan, omdat deze rechtdoor gaat op dezelfde weg.

Voorrang
31. B De bestuurders van de brandweerauto en de auto moeten beiden de bestuurder van de fiets voor laten gaan, omdat deze rechtdoor gaat op dezelfde weg. De bestuurder van de auto moet de bestuurder van de brandweerauto voor laten gaan, omdat deze de korte bocht maakt.

Maximumsnelheid
32. B De aanhangwagen, met een maximummassa van minder dan 3500 kg, wordt getrokken door een personenauto. De maximumsnelheid voor deze combinatie bedraagt op een auto(snel)weg 90 km per uur.

Voorrang
33. Ja Op gelijkwaardige kruispunten moet u bestuurders van rechts voor laten gaan.

Voorrang
34. Nee Het bord geeft aan dat u een voorrangskruispunt nadert en bestuurders die uit andere wegen dan uit de voorrangsweg komen moeten u voor laten gaan. Het onderbord geeft een afbuigende voorrang aan.

Voorrang
35. Nee U moet alleen bestuurders voor laten gaan. De voetganger is geen bestuurder.

Aanwijzingen
36. Nee De agent geeft een stopteken voor het verkeer dat hem van voren nadert.

Gebruik van lichten
37. 30 meter.

Erven
38. Nee Voetgangers mogen wel de volle breedte van de weg gebruiken binnen een erf, maar voorrang is alleen tussen bestuurders geregeld.

Voorrang
39. B De bestuurder van de auto moet de bestuurder van de fiets voor laten gaan, omdat deze op een voorrangsrotonde rijdt.

Overwegen
40. Ja De onderste twee rode lampen knipperen. Dit betekent dat er één of meer treinen in aantocht zijn.

Inhalen
41. A Verbod voor motorvoertuigen om elkaar onderling in te halen.

Afslaan
42. Ja Korte bocht gaat voor lange bocht. Dit geldt voor alle bestuurders met uitzondering van trams. De rode auto moet op u wachten.

Stilstaan
43. C Er is een verbod stil te staan.

Stilstaan
44. Nee Het is niet toegestaan om naast een busstrook op de rijbaan stil te staan.

Stilstaan
45. Nee Het is binnen 5 meter voor en na een oversteekplaats niet toegestaan om stil te staan. Dus ook niet parkeren!

Stilstaan
46. Nee Bij een bushalte mag u de auto niet laten stilstaan binnen 12 meter van de halte of langs de blokmarkering. Dus ook niet parkeren. Wel is in- en uitstappen van passagiers toegestaan.

Parkeren
47. Ja Het parkeerverbod geldt alleen aan die zijde van de weg waar het bord staat.

Tegenkomen
48. Ja U hebt als bestuurder het verbod om door te gaan bij nadering van verkeer uit tegengestelde richting.

Inhalen
49. Ja Inhalen geschiedt links. U mag de onderbroken streep overschrijden.

Lading
50. 20 centimeter.

Plaats op de weg
51. Nee Bromfietsers moeten links inhalen.

Autowegen
52. Nee Het stoppen op een vluchtstrook is alleen toegestaan in geval van nood. Het raadplegen van een landkaart valt niet onder een noodzaak.

Rotondes
53. A De pijlen geven de verplichte rijrichting op de rotonde aan.

Voorrang
54. Ja U moet voorrangsvoertuigen onder alle omstandigheden voor laten gaan. Dus hier laat u een vrije ruimte zodat de ambulance om die auto heen door kan rijden.

Afslaan

55. Ja Bij het afslaan naar links rijdt u zoveel mogelijk naar de middenas van de weg zodat u nog rechts ingehaald kunt worden, als er genoeg ruimte is.

Verkeersborden

56. Nee Het bord geeft aan dat er drempels op de rijbaan liggen. Verminder uw snelheid.

Verkeerstekens op de weg

57. B Ja, de gele blokmarkering gaat boven de witte doorgetrokken streep. Tijdelijke verkeerstekens op het wegdek, zoals gele strepen bij wegwerkzaamheden, gaan boven andere verkeerstekens op het wegdek, voor zover deze verkeerstekens onverenigbaar zijn.

Voertuigcontrole

58. B De hoofdsteun geeft de beste bescherming als de bovenkant van de steun op gelijke hoogte zit als de bovenkant van het hoofd.

Voertuigcontrole

59. A Door een te lage bandenspanning is er meer rolweerstand tussen de band en het wegdek. Hierdoor verbruikt uw auto meer brandstof.

Het nieuwe rijden

60. B Snel naar een hogere versnelling doorschakelen en waar dat kan bochten nemen in de derde versnelling. Dit heeft een gunstige invloed op het brandstofverbruik.

Inhalen

61. Ja U rijdt voldoende naar links. Tevens is het wenselijk de snelheid aan te passen.

Algemene bepalingen

62. Nee Losse voorwerpen worden bij sterk afremmen of bij een botsing gevaarlijke projectielen voor de inzittenden. Dit geldt ook voor het vervoer van uw huisdier. Voor honden is er een speciaal veiligheidstuigje. U doet er verstandig aan in alle gevallen huisdieren op de achterbank te vervoeren.

Plaats op de weg

63. A Vooral voldoende tussenafstand houden met de voorligger en de sneheid daaraan zoveel mogelijk aanpassen.
In verband met het uitzicht is het goed om voldoende tussenafstand te houden, mede in verband met de op korte afstand volgende vrachtauto. Pas de snelheid zoveel mogelijk aan aan de snelheid van de voorligger. Probeer de bestuurder van de achteropkomende vrachtauto niet te irriteren.

Eerste hulp

64. Nee Een verbanddoos is in een auto (nog) niet verplicht, maar het is toch raadzaam om een verbanddoos met de voorgeschreven inhoud binnen handbereik te hebben.

Inrichtingseisen

65. Nee De kentekenplaat moet geheel goed zichtbaar en duidelijk te lezen zijn. Een trekhaak mag de kentekenplaat nooit geheel of gedeeltelijk afdekken.

Antwoorden en motivaties examen 4

Gevaarherkenning

1.	A	Remmen:	Er nadert een tegenligger, er is te weinig tussenruimte en u bent de straatveger zo dicht genaderd dat u wel moet remmen.
2.	B	Gas loslaten:	De auto heeft u ingehaald en heeft dus waarschijnlijk een hogere snelheid. De afstand is hier gevaarlijk dus moet u voor de alertheid het gas loslaten.
3.	C	Niets:	De fietser volgt het fietspad en u heeft voldoende overzicht en ruimte om met deze snelheid te blijven rijden.
4.	B	Gas loslaten:	Uw snelheid is laag, uw volgafstand voldoende en de auto's voor u staan stil maar kunnen elk moment gaan rijden. Dus het gas loslaten is voldoende.
5.	B	Gas loslaten:	U heeft hier weinig snelheid maar het is erg onduidelijk wat de snorfietser en de fietsers gaan doen. Voor de zekerheid moet u het gas loslaten.
6.	A	Remmen:	De voetganger wil vlak voor uw auto oversteken en kijkt niet in uw richting. U moet wel remmen om verder leed te voorkomen.
7.	B	Gas loslaten:	Uw snelheid is laag maar deze twee fietsers rijden ver uit elkaar en uw ruimte is beperkt door de tegenliggers.
8.	B	Gas loslaten:	Er gebeurt veel voor u dat potentieel gevaar levert. Door het gas los te laten bent u extra alert voor wat er eventueel komen gaat
9.	B	Gas loslaten:	Aan beide zijden van de rijbaan zijn fietsers en er zijn ook nog tegenliggers. Bij deze situatie moet u dus extra alert zijn.
10.	C	Niets:	Het (over)zicht is goed, u heeft een goede snelheid en u heeft voldoende ruimte om u heen. U kunt met deze snelheid blijven rijden.
11.	A	Remmen:	De taxi haalt hier de fietsers in en rijdt op uw weghelft. U zult in dit geval moeten ingrijpen door te remmen.
12.	B	Gas loslaten:	Deze bestelauto moet nog snelheid maken en dus moet u bedacht zijn op een kortere afstand die tussen u en de bestelauto ontstaat. Voor extra zekerheid kunt u beter het gas loslaten.
13.	B	Gas loslaten:	Deze voetgangers willen misschien gaan oversteken. In geval van onzekerheden, altijd het gas loslaten.

14. C Niets: U heeft in deze situatie voldoende (over)zicht en ruimte en er gebeurt niets dus kunt u met deze snelheid blijven rijden.

15. C Niets: U heeft in deze situatie voldoende (over)zicht en ruimte en er gebeurt niets dus kunt u met deze snelheid blijven rijden.

16. A Remmen: De vuilniswagen staat midden op straat en blokkeert uw doorgang en gezien uw snelheid moet u wel remmen.

17. B Gas loslaten: Verderop wordt geremd en steken fietsers over. U weet niet precies wat u kunt verwachten en moet extra alert zijn. U kunt het beste het gas loslaten.

18. C Niets: U heeft hier alle ruimte en voldoende (over)zicht om met deze snelheid te kunnen blijven rijden.

19. A Remmen: Voor u wordt flink geremd en gezien uw volgafstand en snelheid zult u dat ook moeten gaan doen.

20. C Niets: Uw overzicht en ruimte zijn goed, u kunt gewoon met deze snelheid blijven rijden.

21. B Gas loslaten: U zult deze stilstaande autobus voorbij moeten gaan. Daarbij is uw zicht beperkt en u rijdt dan tevens op de weghelft van de tegenliggers. Om extra alert en voorzichtig te zijn moet u het gas loslaten.

22. A Remmen: De vrachtauto en de auto voor u staan stil of bijna stil. U nadert met een te hoge snelheid. U moet hier remmen om een ongeval te voorkomen.

23. A Remmen: Deze voetganger staat te wachten en wil oversteken maar ziet u waarschijnlijk niet vanwege de paraplu. Vanwege uw snelheid moet u hier wel remmen.

24. C Niets: U heeft hier alle ruimte en voldoende (over)zicht om met deze snelheid te kunnen blijven rijden.

25. A Remmen: Deze voetgangers en fietser steken voor u over. Gezien uw snelheid en afstand tot hen, heeft u geen andere keuze dan te remmen.

Voorrang

26. C De bestuurder van de auto moet, volgens het verkeersbord en de 'haaientanden' (= verleen voorrang aan bestuurders op de kruisende weg) de bestuurders van de fiets en de bromfiets voor laten gaan. De bestuurder van de afbuigende bromfiets moet de bestuurder van de fiets voor laten gaan, omdat deze rechtdoor gaat op dezelfde weg.

Verkeerstekens op de weg

27. Ja Een doorgetrokken streep, die zich langs de rand van de rijbaanverharding bevindt, mag overschreden worden.

Aanwijzingen

28. Ja Deze aanwijzing is een stopteken voor het verkeer dat de verkeersregelaar van rechts nadert.

Parkeren

29. A Bij dit bord is het verboden te parkeren.

Autosnelwegen

30. 80 km per uur. De maximumsnelheid op deze autosnelweg is 80 km per uur; zie matrixbord.

Voorrang

31. C Trams zijn uitgezonderd van de regel om de korte bocht voor de lange bocht te laten gaan. Daarom moet de bestuurder van de auto de bestuurder van de tram voor laten gaan. Omdat er geen voetgangersoversteekplaats is en de voetganger te ver van het kruispunt af staat om als rechtdoorgaand verkeer te worden beschouwd, moet de voetganger de beide bestuurders voor laten gaan.

Maximumsnelheid

32. A De betekenis van dit bord is: adviessnelheid 50 km per uur.

Alcohol, geneesmiddelen en drugs

33. Nee Na het nuttigen van vier glazen alcoholhoudende drank is het vrijwel zeker dat het alcoholgehalte van uw adem en/of uw bloed meer bedraagt dan het toegestane maximum. Voor beginnende bestuurders is de grens hiermee al ruim overschreden.

Algemene bepalingen

34. Nee Het is bestuurders van motorvoertuigen en gehandicaptenvoertuigen voorzien een motor en brom- en snorfietsen verboden om tijdens het rijden een mobiele telefoon vast te houden. SMS-en mag dus ook niet.

Voorrang

35. A De bestuurder van de brandweerauto moet de bestuurder van de tram en de bestuurder van de auto voor laten gaan. Dit wordt bepaald door het verkeersbord en de 'haaientanden' (= verleen voorrang aan bestuurders op de kruisende weg). De bestuurder van de naar links afbuigende auto moet de bestuurder van de rechtdoorgaande tram voor laten gaan.

Voorrang

36. Nee Fietsers van rechts moet u op een kruispunt van gelijkwaardige wegen voor laten gaan. Een fiets-/bromfietspad maakt deel uit van de weg.

Verkeerstekens op de weg

37. B Andere gele strepen dan die worden gebruikt om een parkeerverbod of een verbod om stil te staan aan te geven, vervangen tijdelijk de functie van de aanwezige witte strepen.

Verkeersborden

38. C Dit bord betekent gesloten voor motorvoertuigen met een aanhangwagen. Een bromfiets is geen motorvoertuig en mag hier met een aanhangwagen dus wel in rijden.

Erven
39. Ja Indien er een verlaagde of verhoogde stoeprand aanwezig is dan krijgt die weg het karakter van een uitrit/inrit.

Overwegen
40. A Het andreaskruis geeft een overweg met enkel spoor aan.

Overwegen
41. Nee Het overweglicht geeft wit licht, dus is er geen trein in aantocht. Vertrouw nooit alleen op de techniek, dus toch goed kijken.

Ritvoorbereiding
42. 3 jaar. Als de op diesel rijdende auto ouder is dan 3 jaar, dan moet deze APK gekeurd zijn.

Verkeerstekens op de weg
43. Nee U mag de doorgetrokken streep niet overschrijden. Het rode kruis boven de rijstrook geeft aan dat deze spitsstrook gesloten is.

Parkeren
44. Nee Op de rijbaan van een voorrangsweg buiten de bebouwde kom geldt automatisch een parkeerverbod. Dit verbod geldt niet voor de berm.

Stilstaan
45. Ja Bij een gele onderbroken streep is parkeren niet toegestaan. U mag hier wel stilstaan voor het laden/lossen van goederen en om passagiers in of uit te laten stappen.

Stilstaan
46. Ja Zolang u de bestuurder van de tram niet hindert is het toegestaan, anders bent u strafbaar voor het veroorzaken van gevaar c.q. hinder.

Parkeren
47. Ja Op voorrangswegen buiten de bebouwde kom is het niet toegestaan om op de rijbaan te parkeren. In de berm wel.

Algemene bepalingen
48. Ja Fileparkeren is een bijzondere manoeuvre. U moet dan het overige verkeer voor laten gaan.

Gebruik van lichten
49. Ja U bent een gevaarlijk obstakel voor het overige verkeer en bent verplicht om uw gevarendriehoek te plaatsen of om uw waarschuwingsknipperlichten te gebruiken.

Inhalen
50. Nee U mag een doorgetrokken streep niet overschrijden.

Tunnels
51. Ja Bestuurders van motorvoertuigen moeten bij dag, indien het zicht ernstig wordt belemmerd (zoals in een tunnel), dimlicht voeren.

Inhalen

52. Nee Vlak voor een voetgangersoversteekplaats mag u voertuigen niet inhalen.

Voorrang

53. Ja Hoewel rechtdoorgaand verkeer voor afslaand verkeer gaat, moet u de ambulance voor laten gaan omdat deze de optische- en geluidssignalen gebruikt.

Autosnelwegen

54. Ja Het gebruikmaken van de vluchtstrook is toegestaan in geval van pech. Het is echter gevaarlijk om in de auto te blijven zitten.

Voorrang

55. Ja De politieauto voert optische- en geluidssignalen en is daardoor een voorrangsvoertuig. Alle weggebruikers moeten bestuurders van een voorrangsvoertuig voor laten gaan.

Voertuigcontrole

56. Ja Een te lage bandenspanning verhoogt het brandstofverbruik, geeft extra slijtage aan de banden en beïnvloedt de wegligging ongunstig.

Plaats op de weg

57. Ja U hebt met een scherpe onoverzichtelijke bocht naar links en weer naar rechts te maken. U kunt niet overzien hoe groot uw tegenliggers zijn.

Snelheid

58. C Indien er voldoende ruimte achter u is, hard remmen en eventueel uitwijken naar de berm.
U kunt het beste kijken of de weg achter u vrij is en direct beginnen met remmen. U geeft daarmee de inhalende bestuurder meer tijd en ruimte zijn onderschatte inhaalactie af te ronden. Mocht er alsnog te weinig ruimte overblijven en u heeft voldoende snelheid geminderd, wijk dan voorzichtig met twee wielen door de berm uit om extra ruimte te creëren. Ga in ieder geval nooit remmend en met hoge snelheid de berm insturen!

Ongevallen

59. Ja Brandwonden koelt u het beste af met koud, schoon water onder het motto: 'Eerst water, de rest komt later.'

Autosnelwegen

60. Ja Het is echter nog veiliger als u uw auto schuin in de berm plaatst.

Gebruik van lichten

61. Ja Indien u met uw auto minder opvalt door de schaduw van de bomen dan is het gewenst dat u verlichting voert.

Parkeren

62. B In een parkeergarage betaalt u achteraf voor de gebruikte parkeertijd.
Bij een parkeermeter betaalt u vooraf voor de gewenste parkeertijd.

Accu en accuvloeistof

63. Nee Vuur - dus ook roken - vonken en onbeschermende verlichting in de nabijheid van een accu is zeer gevaarlijk in verband met het waterstofgas (knalgas).

Wegen buiten de bebouwde kom

64. C Buiten de bebouwde kom komt u vaker traktoren en landbouwvoertuigen tegen dan binnen de bebouwde kom. Let goed op de breedte en scherpe uitstekende delen van deze voertuigen, modder en/of mest op de rijbaan en hun lage snelheid.

Milieubewust autorijden

65. Ja Het schoonspuiten van een motorblok mag uitsluitend in een daarvoor geschikte ruimte gebeuren.

NOTITIES

Antwoorden en motivaties examen 5

Gevaarherkenning

1. B Gas loslaten: Deze voetganger steekt vlak voor uw auto de rijbaan over. Gezien uw snelheid is het gas loslaten hier voldoende om achter de voetganger door te rijden.

2. A Remmen: Deze fietser komt schuin op u af en met uw snelheid is dit erg gevaarlijk en zult u wel moeten remmen.

3. A Remmen: Dit voertuig rijdt erg langzaam en zeker wanneer ze een bocht uitkomen. U moet hier gezien uw snelheid wel remmen.

4. B Gas loslaten: U rijdt hier niet snel maar het is erg onduidelijk wat de fietser gaat doen. Bovendien lijkt het erop dat hij een beetje slingert. Voor de zekerheid moet u het gas loslaten.

5. A Remmen: Uw tegenligger komt erg dicht bij u in de buurt. Bovendien wordt uw zicht in/na de bocht volledig geblokkeerd door de rode vrachtauto.

6. B Gas loslaten: Deze borden geven aan dat het hier gaat om een gevaarlijke of onoverzichtelijke bocht. U moet dus extra alert zijn en het gas loslaten.

7. C Niets: Het (over)zicht is goed, uw snelheid is aangepast en u heeft voldoende ruimte om u heen. U kunt met deze snelheid blijven rijden.

8. B Gas loslaten: U kunt de bocht niet goed overzien en u heeft wat minder ruimte, door het gas los te laten bent u beter voorbereid en extra alert.

9. B Gas loslaten: De grasmaaier rijdt op de rand van de berm en er is weinig ruimte en veel onzekerheid wat de grasmaaier gaat doen.

10. C Niets: Het (over)zicht is goed, uw snelheid is aangepast en u heeft voldoende ruimte om u heen. U kunt met deze snelheid blijven rijden.

11. B Gas loslaten: Uw ruimte wordt enigszins beperkt door uw tegenligger. Door de vrachtauto heeft u weinig zicht. Het gas loslaten zorgt voor extra alertheid.

12. B Gas loslaten: Er ligt vuil op de weg en uw ruimte wordt beperkt door de grasmaaier. U kunt hier het beste het gas loslaten om alert te zijn.

13. C Niets: U heeft hier alle ruimte en voldoende (over)zicht om met deze snelheid te kunnen blijven rijden.

14. A Remmen: Deze mensen staan midden op de rijbaan en blokkeren uw doorgang. U moet remmen om ze niet aan te rijden.

15. B Gas loslaten: Er rijden fietsers voor u op uw rijbaan. Het is verstandig om extra op uw hoede te zijn.

16. C Niets: U heeft hier alle ruimte en voldoende (over)zicht om met deze snelheid te kunnen blijven rijden.

17. C Niets: U heeft hier alle ruimte en voldoende (over)zicht om met deze snelheid te kunnen blijven rijden. De voetgangers zijn al ver genoeg van u verwijderd.

18. B Gas loslaten: Bij het voorbijgaan van deze stilstaande vrachtauto is uw zicht beperkt en de voetganger wekt de indruk over te willen gaan steken. Om extra alert en voorzichtig te zijn moet u het gas loslaten.

19. B Gas loslaten: Deze voetganger steekt over maar zal waarschijnlijk niet snel lopen dus kunt u beter het gas loslaten.

20. C Niets: U heeft in deze situatie voldoende (over)zicht en ruimte. U kunt met deze snelheid blijven rijden.

21. A Remmen: U heeft wel een groen verkeerslicht maar uw snelheid is hoger dan die van de fietsers. U moet remmen om te voorkomen dat u er achterop rijdt.

22. B Gas loslaten: De auto rijdt achteruit, hij is nog redelijk ver weg maar het is onduidelijk of de auto al weg is wanneer u dichterbij komt. Wees voorzichtig in dit soort situaties en laat het gas los.

23. B Gas loslaten: De auto verderop remt. De situatie is niet helemaal duidelijk en moeilijk in te schatten. In dit geval moet u alert zijn en het gas loslaten.

24. A Remmen: De autobus wil/gaat wegrijden bij de bushalte en u moet deze, binnen de bebouwde kom, voor laten gaan.

25. C Niets: Uw overzicht en ruimte zijn goed, u kunt met deze snelheid blijven rijden.

Verkeerstekens op de weg

26. B Lijnbussen en autobussen.

Verkeersborden

27. Ja Het bord geeft een geslotenverklaring aan voor voertuigen die, met inbegrip van de lading, breder zijn dan 2,10 meter.

Verkeersborden

28. C Fietsers en snorfietsers met een uitgeschakelde verbrandingsmotor. Een snorfiets met een ingeschakelde elektrische motor is wel toegestaan.

Verkeersborden
29. Ja Het bord geeft een geslotenverklaring aan voor motorfietsen.

Voorrang
30. Ja Het wegrijden is een bijzondere manoeuvre waarbij u het overige verkeer voor moet laten gaan.

Algemene bepalingen
31. B Eén of meerdere rode ringen op een witte stok kenmerkt een blinde of slechtziende. Deze personen moeten onder alle omstandigheden worden voorgelaten.

Verkeersborden
32. Nee Het bord geeft aan dat u verplicht rechtdoor moet rijden.

Voorrang
33. Nee Op gelijkwaardige kruispunten moet u bestuurders die van rechts komen voor laten gaan.

Voorrang
34. C De bestuurder van de tram moet de man met de handkar en de bestuurder van de auto voorrang verlenen. Dit wordt bepaald door het verkeersbord en de 'haaientanden' (= verleen voorrang aan bestuurders op de kruisende weg). De bestuurder van de afbuigende auto moet de man met de handkar voor laten gaan omdat de man met de handkar als weggebruiker rechtdoor gaat.

Verkeersborden
35. C File.

Voorrang
36. Nee De bromfietser komt van rechts en u moet alle bestuurders die van rechts komen op gelijkwaardige kruispunten voor laten gaan. Een fiets/bromfietspad is een weg.

Autowegen
37. 50 km per uur. Het gebruik van een autoweg is toegestaan voor bestuurders van motorvoertuigen waarmee met een snelheid van ten minste 50 km per uur mag en kan worden gereden.

Overwegen
38. Ja Het andreaskruis geeft een overweg met twee of meer sporen aan. Wacht tot de bomen geheel omhoog zijn en het rode overweglicht is gedoofd.

Voorrang
39. Ja Op gelijkwaardige kruispunten moet u alle bestuurders die van rechts komen voor laten gaan. Een fiets/bromfietspad maakt deel uit van de weg.

Voorrang

40. A De bestuurder van de snorfiets moet de bestuurder van de auto voor laten gaan, omdat deze van rechts komt op een gelijkwaardig kruispunt. De bestuurder van de motorfiets moet de bestuurder van de snorfiets voor laten gaan, omdat deze van rechts komt op een gelijkwaardig kruispunt. De bestuurder van de motorfiets moet ook de bestuurder van de auto voor laten gaan, omdat deze rechtdoor gaat op dezelfde weg.

Maximumsnelheid

41. B Door bord B; bord A betreft een maximumsnelheid op een elektronisch signaleringsbord.

Afslaan

42. Ja Op gelijkwaardige kruispunten heeft een bestuurder van een tram altijd vrije doorgang.

Maximumsnelheid

43. A Een weg met twee doorgetrokken of onderbroken asstrepen met een groene vulling tussen beide strepen is meestal een weg waar een maximumsnelheid van 100 km per uur geldt. Dit moet dan wel door borden autosnelweg of maximumsnelheid worden aangegeven.

Voorrang

44. B De bestuurder van de auto moet de bestuurders van de fiets en de vrachtauto voor laten gaan. Dit wordt bepaald door het verkeersbord en de 'haaientanden' (= verleen voorrang aan bestuurders op de kruisende weg). De bestuurder van de afbuigende fiets moet de bestuurder van de vrachtauto voor laten gaan, omdat deze rechtdoor gaat op dezelfde weg.

Verkeersborden

45. C Het is een geslotenverklaring voor alle motorvoertuigen. Brommobielen volgen de regels die voor motorvoertuigen gelden.

Stilstaan

46. Nee U mag een busstrook niet gebruiken.

Verkeerstekens op de weg

47. A Langs een gele onderbroken streep is stilstaan toegestaan. U mag hier echter niet parkeren.

Maximumsnelheid

48. B Een bromfietser mag op de rijbaan zowel binnen- als buiten de bebouwde kom maximaal 45 km per uur rijden. Op het fiets/bromfietspad is de maximumsnelheid binnen de bebouwde kom 30 km per uur en buiten de bebouwde kom 40 km per uur.

Voorrang

49. Ja Voorrangsvoertuigen moet u voor laten gaan. Een brandweerauto is een voorrangsvoertuig als deze de optische- en geluidssignalen gebruikt.

Voorrang

50. B De bestuurders van de tram en de auto moeten beiden de bestuurder van de fiets voor laten gaan. Dit wordt bepaald door het verkeersbord en de 'haaientanden' (= verleen voorrang aan bestuurders op de kruisende weg). De bestuurders van de auto en de tram komen niet met elkaar in conflict; ze vervolgen beiden gelijktijdig hun weg.

Autosnelwegen

51. Ja Het gebruikmaken van de vluchtstrook is toegestaan in geval van nood.

Lading

52. Nee Losse deelbare lading zoals zand, grind of puin moet deugdelijk zijn afgedekt, met bijvoorbeeld een zeil of net.

Verkeerslichten

53. Nee Geel licht betekent stop, maar als bestuurders het licht zo dicht genaderd zijn dat stoppen redelijkerwijs niet meer mogelijk is, doorgaan.

Begripsbepalingen

54. Ja Koetsiers van bespannen wagens en bestuurders van onbespannen wagens vallen onder het begrip bestuurders.

Inrichtingseisen aanhangwagen

55. 18 meter. De lengte van een personenauto met aanhangwagen mag maximaal 18 meter bedragen.

Verkeersborden

56. Nee Het bord geeft aan eerst een bocht naar links en daarna een bocht naar rechts. Verminder uw snelheid en blijf in uw rijstrook.

Maximumsnelheid

57. Ja Het bord geeft een adviessnelheid aan. Het is beter dat u zich aan deze adviessnelheid houdt.

Stoppen

58. A Stoppen en de vrachtauto de manoeuvre laten uitvoeren.
In deze situatie kunt u het beste stoppen om de bestuurder van de vrachtauto zijn manoeuvre uit te laten voeren. U mag uiteraard de claxon gebruiken om medeweggebruikers attent te maken op dreigend gevaar, maar dit zal in deze situatie niet van toepassing zijn.

Het nieuwe rijden

59. B Met cruisecontrol rijdt u gelijkmatiger en daarmee ook zuiniger.

Inrichtingseisen auto

60. Ja Een auto hoeft niet te zijn uitgerust met een toerenteller.

Milieubewust autorijden

61. Ja Het is normaal dat een auto in de winter meer brandstof verbruikt.

Ruiten en spiegels

62. Nee Met de buitenspiegels moet u de denkbeeldige horizon op één vierde vanaf de bovenzijde van de spiegels kunnen zien, en net iets van de zijkant van de auto als referentiepunt.

Het nieuwe rijden

63. Ja Elke kilo gewicht die de auto in beweging moet brengen en moet houden kost energie. Hoe meer energie de auto nodig heeft, hoe meer brandstof de motor verbruikt.

Algemene bepalingen

64. Nee Bestuurders mogen door passagiers, dieren of lading niet afgeleid of gehinderd worden.

Voertuigcontrole

65. Ja Het koelvloeistofpeil kan alleen met stilstaande motor juist en veilig worden gecontroleerd.

NOTITIES

Antwoorden en motivaties examen 6

Gevaarherkenning

1. B Gas loslaten: De bestelauto rechts heeft zwaailichten aan. Dit is niet voor niets en dus moet u extra alert zijn.

2. A Remmen: De fietser is te dichtbij en lijkt niet te gaan stoppen. Om een aanrijding te voorkomen moet u wel remmen.

3. B Gas loslaten: Er is in deze situatie veel onduidelijkheid. U weet niet wat de scooter en de wegwerkers gaan doen. Bovendien is het zicht erg beperkt door de vrachtauto(s).

4. A Remmen: De vrachtauto wil naar links en de auto voor u remt. Om een ongeval te voorkomen moet u hier remmen.

5. C Niets: U heeft voldoende ruimte en uw tegenligger ook. Bovendien heeft u voldoende ruimte aan de rechterzijde tussen u en de straatveger.

6. A Remmen: De witte bestelauto staat stil en de blauwe bestelauto voor u remt. Gezien uw volgafstand zult u ook moeten remmen.

7. C Niets: Er is hier een wegversmalling maar verder is er wel alle ruimte en overzicht. U kunt gewoon zo blijven rijden.

8. B Gas loslaten: Aan de linkerzijde steekt een voetganger met een hond over. U weet niet precies wat de voetganger gaat doen en dieren zijn vaak onvoorspelbaar in hun gedrag.

9. B Gas loslaten: Uw snelheid is ongeveer gelijk aan die van de fietster. U ziet dat zij linksaf wil slaan. Het is verstandig om extra alert te zijn en het gas los te laten.

10. A Remmen: Door het slechte weer zien deze voetgangers u niet of heel slecht maar steken toch voor u over.

11. A Remmen: Deze fietser steekt vlak voor u over en uw snelheid is te hoog en uw afstand te klein. U zult moeten remmen om een aanrijding te voorkomen.

12. B Gas loslaten: Er komt een scooter achter de straatveger vandaan. Dit kan voor een schrikreactie zorgen. Wees alert en laat het gas los.

13. A Remmen: Uw ruimte is beperkt, zeker voor deze snelheid. Wat deze voetganger en hond gaan doen is erg onvoorspelbaar.

14. A Remmen: De vrachtauto blokkeert de weghelft van het tegemoetkomend verkeer die hierdoor over uw weghelft rijden. U moet remmen om een aanrijding te voorkomen. Ook is het uitzicht naar de straat van rechts beperkt.

15. A Remmen: Deze fietser rijdt pal voor u. U moet hier wel remmen om een aanrijding te voorkomen.

16. B Gas loslaten: Deze fietser steekt vlak voor u over maar is al wel bijna weg. Voor de zekerheid moet u het gas loslaten.

17. C Niets: U heeft in deze situatie voldoende (over)zicht en ruimte en er gebeurt niets dus kunt u met deze snelheid blijven rijden.

18. C Niets: U heeft in deze situatie voldoende (over)zicht en ruimte en er gebeurt niets dus kunt u met deze snelheid blijven rijden.

19. A Remmen: Deze voetganger steekt zomaar over. Door uw hoge naderingssnelheid zult u moeten remmen om een aanrijding te voorkomen.

20. B Gas loslaten: Ondanks dat uw snelheid niet hoog is en u wat ruimte heeft is het toch verstandig om het gas los te laten, fietsende kinderen zijn meer onvoorspelbaar dan volwassenen.

21. C Niets: U heeft voldoende afstand tot uw voorligger, het verkeerslicht en de bocht. U kunt gewoon zo blijven rijden.

22. C Niets: U heeft in deze situatie voldoende (over)zicht en ruimte en er gebeurt niets dus kunt u met deze snelheid blijven rijden.

23. B Gas loslaten: Gezien uw snelheid en de onduidelijkheid over wat de wegwerkers (gaan) doen en of ze u wel hebben gezien moet u extra alert zijn.

24. A Remmen: Uw snelheid is veel te hoog voor deze wegversmalling en zowel u als de vrachtauto zijn te dicht genaderd, u moet wel remmen om een aanrijding te voorkomen.

25. B Gas loslaten: Er is onzekerheid over de ruimte en het overzicht. U zult het gas los moeten laten om extra alert te blijven in deze situatie.

Verkeersborden

26. Nee Het bord geeft een geslotenverklaring voor motorvoertuigen aan. U moet dus omrijden.

Maximumsnelheid

27. C Beide borden geven een maximumsnelheid aan.

Inhalen

28. Ja De rode auto staat voorgesorteerd om links af te slaan. Als u wilt inhalen, doet u dat in dit geval rechts. U mag de fietsstrook met onderbroken streep gebruiken.

Maximumsnelheid

29. 90 km per uur. De snelheid die op het matrixbord wordt aangegeven geldt als maximumsnelheid.

Voorrang

30. A De bestuurders van de brandweerauto en de auto moeten de bestuurder van de tram voor laten gaan. Dit wordt bepaald door het verkeersbord en de 'haaientanden' (= verleen voorrang aan bestuurders op de kruisende weg). De bestuurder van de naar links afbuigende auto moet de bestuurder van de brandweerauto voor laten gaan, omdat deze rechtdoor gaat op dezelfde weg.

Aanwijzingen

31. A In het bord F10 kan worden aangegeven door wie of waarom het bord wordt toegepast.

Parkeren

32. 5 meter. U mag niet dichter bij een kruispunt parkeren omdat u dan ander verkeer hindert.

Verkeersborden

33. C Deze weg is gesloten voor motorvoertuigen met aanhangwagens, ongeacht het type.

Voorrang

34. Nee De bestuurder van de rode auto rijdt op een onverharde weg en moet alle bestuurders op de verharde weg voor laten gaan.

Voorrang

35. Ja Op gelijkwaardige kruispunten moet u alle bestuurders die van rechts komen voor laten gaan.

Voorrang

36. B De bestuurders van de auto en de snorfiets komen niet met elkaar in conflict.
De bestuurder van de vrachtauto moet de bestuurder van de auto voor laten gaan, omdat deze van rechts komt op een gelijkwaardig kruispunt.
De bestuurder van de afbuigende snorfiets moet de bestuurder van de vrachtauto voor laten gaan, omdat deze rechtdoor gaat op dezelfde weg.

Rijbewijzen

37. B De ledige massa van het trekkende voertuig is minder dan de toegestane maximummassa van de aanhangwagen. Daarom is voor het rijden met deze combinatie een rijbewijs B-E vereist. Als het trekkende voertuig wel zwaarder is dan de maximummassa van de aanhangwagen en het samenstel is meer dan 3500 kg, dan is ook een rijbewijs B-E vereist.

Inrichtingseisen aanhangwagen

38. Nee Aanhangwagens die voorzien zijn van een losbreekreminrichting mogen niet tevens voorzien zijn van een hulpkoppeling.

Verkeerstekens op de weg

39. B U mag te allen tijde op een suggestiestrook rijden, dus ook als u afslaat. U mag ook zo naar rechts voorsorteren. Let er wel op dat u fietsers en snorfietsers daarbij niet in gevaar brengt.

Afslaan

40. A Alle verkeer. Rechtdoor op dezelfde weg gaat voor.

Verkeersborden

41. A Als bij het passeren van een zijweg bord A niet herhaald wordt, is de algemene maximumsnelheid (binnen de bebouwde kom voor motorvoertuigen 50 km per uur) weer van toepassing. Bord B geeft een zone aan waar binnen 30 km per uur van toepassing is. Deze snelheid geldt totdat wordt aangegeven dat u de zone weer verlaat.

Voorrang

42. A De bestuurders van de motorfiets en de auto komen niet met elkaar in conflict.
De bestuurder van de snorfiets moet de bestuurder van de auto voor laten gaan, omdat deze van rechts komt op een gelijkwaardig kruispunt.
De bestuurder van de afbuigende motorfiets moet de bestuurder van de snorfiets voor laten gaan, omdat deze rechtdoor gaat op dezelfde weg.

Maximumsnelheid

43. B Een weg met twee doorgetrokken of onderbroken asstrepen met een ongekleurde vulling tussen beide strepen is buiten de bebouwde kom een weg waar een maximumsnelheid van 80 km per uur geldt.

Stilstaan

44. 12 meter. Binnen 12 meter van het bord bushalte geldt een parkeerverbod. U mag er wel passagiers in- en uit laten stappen.
Is de bushalte voorzien van een blokmarkering dan geldt het verbod voor de lengte van de markering.

Maximumsnelheid

45. 100 km per uur. De maximumsnelheid op een autoweg is 100 km per uur.

Parkeren

46. Ja Alleen op voorrangswegen buiten de bebouwde kom is het niet toegestaan op de rijbaan te parkeren.

Autosnelwegen

47. Ja Een blokmarkering is een onderbroken streep die u mag overschrijden.

Inhalen

48. Nee U brengt het overige verkeer onnodig in gevaar omdat u net voor de top van de helling wilt gaan inhalen.

Verkeersborden

49. B U rijdt dan op een weg met gelijkwaardige wegen. Het bord geeft immers einde voorrangsweg aan.

Gebruik van lichten

50. Ja In plaats van de gevarendriehoek mag u ook knipperende waarschuwingslichten gebruiken.

Begripsbepalingen

51. Nee Een motorvoertuig met een toegestane maximum massa van meer dan 3500 kg, dat niet is ingericht voor het vervoer van personen, valt onder het begrip 'vrachtauto'. Om een vrachtauto te mogen besturen heeft u minstens een geldig rijbewijs C nodig.

Verkeersborden

52. B Dit bord betekent dat de tunnel die u nadert, 17 kilometer lang is.

Autowegen

53. Ja Het bord G4 geeft het einde van de autoweg aan.

Gebruik van lichten

54. Nee Als overdag het zicht ernstig wordt belemmerd bent u verplicht om dimlicht te voeren. Groot licht mag niet overdag gevoerd worden.

Voetgangersoversteekplaats

55. Nee U moet voetgangers die op een voetgangersoversteekplaats kennelijk op het punt staan om over te steken of daadwerkelijk oversteken, voor laten gaan.

Ritvoorbereiding

56. Ja De spanning van de band op het reservewiel moet ook regelmatig worden gecontroleerd. Een reservewiel met een slappe of lege band kunt u met bandenpech niet gebruiken.

Alcohol, geneesmiddelen en drugs

57. Ja Evenals alcohol en sommige geneesmiddelen kunnen drugs uw rijvaardigheid verminderen en daardoor de kans op een ongeval verhogen.

Het nieuwe rijden

58. Nee Tijdens rustpauzes; als u op een passagier moet wachten; bij geopende bruggen en gesloten overwegen; in files en op andere plaatsen waar u langer moet wachten dan één minuut is het verstandig dat u de motor afzet.

Voertuigcontrole

59. Ja Doordat de bandenspanning te laag is heeft dat wiel tussen de band en het wegdek meer wrijving dan de andere band. Daardoor zal dat wiel sneller stilstaan dan het andere wiel en dus zal de auto naar één kant trekken.

Afslaan

60. A In de rechtuit stand.
Bij reeds naar links ingestuurde wielen komt de auto bij een eventuele kop-staart aanrijding op de weghelft voor het tegemoetkomende verkeer. Bij rechts ingestuurde wielen is er het risico van obstakels langs de weg zoals borden, bomen en lantaarnpalen of eventueel verkeer uit zijstraten. Bij wielen in de rechtuit stand blijft het voertuig op de eigen (vrije) rijstrook.

Voertuigcontrole

61. B De doorgeefmethode heeft tijdens het rijden de voorkeur omdat u tijdens het rijden geen grote stuurbewegingen hoeft te maken.

Alcohol, geneesmiddelen en drugs

62. A Deze stoffen kunnen zorgen voor minder concentratie, overgevoeligheid voor licht, duizeligheid, zware armen en benen, sneller angstig en twijfelachtiger.

Tunnels

63. Nee Stop bij pech in een tunnel uiterst rechts en gebruik uw waarschuwingsknipperlichten.

Milieubewust autorijden

64. Ja Als bij het tanken het vulpistool voor de eerste keer afslaat en u gaat door met tanken, dan vult u ook de expansieruimte in de brandstoftank. Tijdens het rijden, en bij warm weer als de brandstof uitzet, kan de brandstoftank overlopen. Dit is niet alleen milieuvervuilend, maar ook zeer brandgevaarlijk.

Voertuigcontrole

65. Ja Een te lage bandenspanning verhoogt het brandstofverbruik. Onnodig brandstofverbruik kost geld en is niet milieubewust. Het geeft extra slijtage aan de banden en beïnvloedt de wegligging ongunstig.

NOTITIES

Antwoorden en motivaties examen 7

Gevaarherkenning

1	A	Remmen:	De vrachtauto en overige auto's om u heen remmen bijna allemaal dus zult u ook moeten remmen.
2	A	Remmen:	Er komt een fietser achter het bestelauto vandaan. De fietser kan u niet zien en u heeft geen ruimte. U moet wel remmen.
3	C	Niets:	U heeft voldoende volgafstand en overzicht zodat u gewoon kunt blijven rijden.
4	B	Gas loslaten:	Met deze snelheid zult u niet meteen in aanrijding komen met de fietser. Maar voor alle zekerheid kunt u het beste het gas loslaten.
5	C	Niets:	De weg voor u is besneeuwd en daardoor erg glad. Blijf rustig met deze snelheid rijden en rem vooral niet vanwege de vrachtauto die vlak achter u rijdt.
6	B	Gas loslaten:	De bromfietser komt voor u de rijbaan op. Aangezien u niet bekend bent met zijn snelheid kunt u het beste even het gas loslaten.
7	C	Niets:	Er is hier wel een wegversmalling maar verder heeft u wel alle ruimte en overzicht. U kunt gewoon zo blijven rijden.
8	B	Gas loslaten:	Er loopt een voetganger op de rijbaan en er rijdt een auto de rijbaan op bij een drempel. Om extra alert te zijn moet u het gas loslaten.
9	A	Remmen:	Deze voetgangers steken zomaar over. Uw snelheid is in verhouding met de voetgangers tamelijk hoog dus u zult moeten remmen.
10	A	Remmen:	Deze autobus wil hier binnen de bebouwde kom wegrijden van de bushalte. U moet de bus voor laten gaan.
11	C	Niets:	U heeft in deze situatie voldoende (over)zicht en ruimte en er gebeurt niets dus kunt u met deze snelheid blijven rijden.
12	C	Niets:	U heeft in deze situatie voldoende (over)zicht en ruimte en er gebeurt niets dus kunt u met deze snelheid blijven rijden.
13	B	Gas loslaten:	Uw snelheid is hier wel gepast maar toch moet u extra voorzichtig zijn met deze wegwerkers die u misschien niet of te laat opmerken.
14	B	Gas loslaten:	Er zijn werkzaamheden met een in/uitrit voor werkverkeer. Bovendien staat er een bestelauto met alarmlichten die uw zicht op de rest van de weg belemmert.

15 C Niets: U heeft voldoende ruimte en overzicht. De andere auto's moeten u voor laten gaan omdat de obstakels aan hun zijde staan. U kunt zo blijven rijden.

16 A Remmen: Voor u komen auto's in de problemen door ruimte gebrek en zullen gaan remmen. U zult dus ook moeten remmen om zelf niet in de problemen te komen.

17 B Gas loslaten: Deze borden geven aan dat het hier gaat om een gevaarlijke of onoverzichtelijke bocht. U moet dus extra alert zijn en het gas loslaten.

18 B Gas loslaten: Uw zicht is beperkt en er komt een grote vrachtauto door de bocht. U kunt beter even het gas loslaten om zo voorbereid te zijn op een eventuele handeling.

19 C Niets: Het (over)zicht is goed, uw snelheid is aangepast en u heeft voldoende ruimte om u heen. U kunt met deze snelheid blijven rijden.

20 A Remmen: Voor u wordt flink geremd en uitgeweken. U zult ook moeten remmen om geen aanrijding te krijgen met de voertuigen voor u.

21 C Niets: U houdt u al aan de adviessnelheid en uw tegenligger is nog ver weg dus u kunt met deze snelheid blijven rijden.

22 B Gas loslaten: U heeft voldoende zicht en ook ruimte t.o.v. uw voorligger. De fietser met de rode jas steekt wel over, laat voor de zekerheid uw gas los.

23 B Gas loslaten: De fietser met de rode jas aan de rechterkant komt achter de bosjes vandaan en heeft u waarschijnlijk niet opgemerkt. U weet niet zeker wat zij gaat doen en dus moet u extra alert zijn.

24 B Gas loslaten: Deze fietsende kinderen zijn een onzekere factor en vaak onvoorspelbaar. U zult extra voorzichtig moeten zijn en daarom het gas loslaten.

25 A Remmen: Uw snelheid is veel te hoog en het kind fietst bijna midden op de rijbaan. Bovendien komt er verderop een tegenligger aan. U moet remmen voor het kind op de fiets en voor de tegenligger.

Maximumsnelheid

26. 80 km per uur.
Buiten de bebouwde kom geldt een maximumsnelheid van 80 km per uur.

Verkeersborden

27. B Het bord C3 met onderbord geeft een éénrichtingsweg aan uitsluitend voor motorvoertuigen op meer dan twee wielen en motorfietsen.

Tegenkomen
28. B Alle verkeer uit tegengestelde richting voor laten gaan.

Verkeersborden
29. A Een scherpe bocht naar links.

Algemene bepalingen
30. 1,35 meter. Een kind dat kleiner is dan 1,35 meter met een maximaal gewicht van 36 kg moet zowel voorin als achterin een goedgekeurde zittingverhoger of een goedgekeurd kinderzitje gebruiken.

Aanwijzingen
31. C Het stopteken geldt voor het verkeer dat de verkeersbrigadier van voren en van achteren nadert.

Afslaan
32. Nee U bent verplicht de richting te volgen die de voorsorteerstrook aangeeft waarop u staat. Tussen de voorsorteerstroken bevinden zich doorgetrokken strepen.

Voorrang
33. Nee Het bord B1 met onderbord geeft een afbuigende voorrangsweg aan. De dikke zwarte gebogen lijn geeft het verloop van de voorrangsweg aan. De dunne zwarte rechte lijnen geven de zijwegen aan. Als u op een voorrangsweg rijdt, moeten alle bestuurders die deze weg naderen u voor laten gaan.

Voorrang
34. B De bestuurder van de witte auto moet de bestuurders van de fiets en de blauwe auto voor laten gaan. Dit wordt bepaald door het verkeersbord en de 'haaientanden' (= verleen voorrang aan bestuurders op de kruisende weg). De bestuurder van de afbuigende blauwe auto moet de fietser voor laten gaan, omdat deze rechtdoor gaat op dezelfde weg.

Voorrang
35. C Te stoppen en alle bestuurders op de kruisende weg voor te laten gaan.

Verkeersborden
36. C U mag op een rotonde links rijden en links en rechts inhalen. Wel moet u rechtsom de verplichte rijrichting volgen.

Voorrang
37. Ja De fietser rijdt op een verharde weg. U moet de fietser voor laten gaan omdat u op een onverharde weg rijdt.

Erven
38. Ja U verlaat een uitrit bij een erf en dan moet u alle verkeer voor laten gaan. U voert een bijzondere manoeuvre uit.

Overwegen
39. Ja De overwegbomen zijn gesloten en het rode overweglicht brandt.

Verkeersborden
40. B Dit bord geldt voor het onmiddellijk laden en lossen van alle voertuigen.

Voorrang

41. C De bestuurder van tram 2 moet de bestuurders van de auto en tram 1 voor laten gaan. Dit wordt bepaald door het verkeersbord en de 'haaientanden' (= verleen voorrang aan bestuurders op de kruisende weg). De bestuurder van de afbuigende tram 1 mag voor de bestuurder van de auto, omdat voor trams een uitzondering geldt op de regel dat rechtdoorgaand verkeer op dezelfde weg voor gaat.

Afslaan

42. C Naar eigen keuze van de bestuurder, voorsorteren mag, maar hoeft niet.

Voorrang

43. A De bestuurders van de auto en de tram moeten de bestuurder van de bromfiets voor laten gaan. Dit wordt aangegeven door het verkeersbord (= stop, verleen voorrang aan bestuurders op de kruisende weg). De bestuurder van de afbuigende tram mag voor de bestuurder van de auto, omdat voor trams een uitzondering geldt op de regel dat rechtdoorgaand verkeer op dezelfde weg voor gaat.

Afslaan

44. Ja De bepaling rechtdoorgaand verkeer gaat voor afslaande bestuurders geldt niet voor bestuurders van trams. De tram gaat eerst.

Parkeren

45. C Dubbel parkeren.

Voorrang

46. Ja U moet als bestuurder op gelijkwaardige kruispunten voorrang verlenen aan bestuurders van trams die van links of rechts komen.

Stilstaan

47. Ja Zolang u de bestuurder van de tram niet hindert is het toegestaan, anders bent u strafbaar voor het veroorzaken van gevaar c.q. hinder. Het is niet verstandig om te lossen op tramrails.

Inhalen

48. Nee Vlak voor en op een voetgangersoversteekplaats is het niet toegestaan om een voertuig in te halen. Dus ook geen auto.

Inhalen

49. Nee De doorgetrokken streep aan uw linkerzijde geeft aan dat u niet mag inhalen.

Voorrang

50. A De bestuurder van de bromfiets moet de bestuurder van de auto voor laten gaan, omdat deze van rechts komt op een gelijkwaardig kruispunt. Tevens moet de bestuurder van de motorfiets de rechtdoorgaande automobilist voor laten gaan. De bestuurder van de motorfiets moet de bestuurder van de bromfiets voor laten gaan, omdat deze voor hem van rechts komt.

Autowegen

51. Nee Het bord G3 geeft aan dat u op een autoweg rijdt.

Voetgangersoversteekplaats

52. Ja U moet voetgangers die op een voetgangersoversteekplaats kennelijk op het punt staan om over te steken of daadwerkelijk oversteken voor laten gaan.

Voorrang

53. B De bestuurders van de fiets en de auto moeten de bestuurder van de vrachtauto voor laten gaan, omdat deze voor hen van rechts komt op een gelijkwaardig kruispunt. De bestuurder van de afbuigende auto moet de bestuurder van de fiets voor laten gaan, omdat deze rechtdoor gaat op dezelfde weg.

Autosnelwegen

54. 7 meter. Vrachtauto's en samenstellen van voertuigen die langer zijn dan 7 meter mogen alleen de twee meest rechts gelegen rijstroken volgen.

Parkeren

55. Ja In een parkeerschijfzone moeten motorvoertuigen op meer dan twee wielen en brommobielen een parkeerschijf gebruiken.

Wegen buiten de bebouwde kom

56. B Indien er voldoende ruimte achter u is, hard remmen en eventueel uitwijken naar de berm.
U kunt het beste kijken of de weg achter u vrij is en direct beginnen met remmen. U geeft daarmee de inhalende bestuurder meer tijd en ruimte zijn onderschatte inhaalactie af te ronden. Mocht er alsnog te weinig ruimte overblijven en u heeft voldoende snelheid geminderd, wijk dan voorzichtig met twee wielen door de berm uit om extra ruimte te creëren. Ga in ieder geval nooit remmend en met hoge snelheid de berm insturen!

Inrichtingseisen auto

57. Ja Het is verplicht dat u bij nacht de snelheidsmeter kunt aflezen.

Ongevallen

58. Ja Kunt u de auto niet normaal verlaten, dan is het noodzakelijk dat een lifehammer binnen handbereik is.

Het nieuwe rijden

59. Ja Het is normaal dat een auto tijdens zware gebruiksomstandigheden, zoals het rijden in de bergen, meer brandstof verbruikt.

Alcohol, geneesmiddelen en drugs

60. Ja Alle bevoegde en kenbare ambtenaren mogen aanwijzigingen en bevelen geven.
U bent verplicht op het eerste verzoek te stoppen en het rijbewijs en de 'voertuigdocumenten' af te geven voor controle.

Ritvoorbereiding

61. Nee U bent op dit moment niet in staat om een personenauto verantwoord te besturen.

Algemene bepalingen

62. Nee Als een auto voorin ook op de passagiersplaats voorzien is van een airbag, dan mag u op die plaats geen kind in een (maxi-cosi) baby-zitje vervoeren.
Als de auto voorzien is van een mogelijkheid om de airbag op de passagiersstoel uit te schakelen, dan is het vervoer wel toegestaan.

Het nieuwe rijden

63. C Het rijden met een milieuvriendelijke rijstijl. Bestuurders van voertuigen kunnen door hun rijgedrag een belangrijke bijdrage leveren aan het verminderen van de uitstoot van schadelijke stoffen. Ook een goede conditie van het voertuig zal tot minder uitstoot leiden.

Maximumsnelheid

64. A De reactietijd om te remmen is gemiddeld 1 seconde.

Autowegen

65. B De juiste kijktechniek om veilig in te voegen is, kijken in de binnenspiegel, kijken in de linkerbuitenspiegel en links opzij in de dode hoek.

NOTITIES

Antwoorden en motivaties examen 8

Gevaarherkenning

1 C Niets: U heeft voldoende ruimte voor u en bovendien heeft u voldoende ruimte aan de rechterzijde tussen u en de straatveger.

2 B Gas loslaten: De vrachtauto geeft richting aan en u weet niet of hij nu al van rijstrook gaat wisselen. In dit soort onzekere situaties moet u wel het gas loslaten.

3 A Remmen: De auto voor u remt en gezien uw volgafstand moet u ook remmen om een aanrijding te voorkomen.

4 B Gas loslaten: De bestelauto staat stil maar u weet niet precies wat deze gaat doen, dat geldt ook voor de voetganger die links staat.

5 B Gas loslaten: Gelet op uw snelheid zal de vrachtauto waarschijnlijk al door de wegversmalling zijn op het moment dat u daar aankomt. Voor de zekerheid toch even het gas loslaten.

6 B Gas loslaten: Uw afstand en snelheid zijn ten opzichte van de fietsers niet gevaarlijk. Toch zorgt deze situatie met de tegenliggers ervoor dat u het gas los moet laten.

7 A Remmen: De witte bestelauto staat stil en blokkeert uw weghelft. Er rijdt een tegenligger en er komt nog een tweede tegenligger die u beiden voor moet laten. Dus moet u remmen.

8 C Niets: Het (over)zicht is goed, uw snelheid gepast en u heeft voldoende ruimte om u heen. U kunt met deze snelheid blijven rijden.

9 A Remmen: U heeft geen ruimte om in te halen en de tegemoetkomende vrachtauto zult u voor moeten laten gaan, dit wordt ook aan gegeven door het bord F5. U moet remmen en wachten tot u weer ruimte heeft.

10 C Niets: De weg voor u is besneeuwd en daardoor erg glad. Blijf rustig met deze snelheid rijden en rem vooral niet vanwege de vrachtauto die vlak achter u rijdt.

11 C Niets: Uw snelheid is laag en u heeft voldoende ruimte, de fietser heeft daar verder geen invloed op. U kunt met deze snelheid blijven rijden.

12 B Gas loslaten: Uw snelheid is wel laag maar de bocht is onoverzichtelijk. U kunt het beste het gas loslaten om zo nog beter op alles voorbereid te zijn.

13 B Gas loslaten: Deze borden geven aan dat het hier gaat om een gevaarlijke of onoverzichtelijke bocht. U moet extra alert zijn en het gas loslaten.

14 A Remmen: Uw snelheid is hoog. Voor u rijdt een auto die remt voor een tractor die voor hem rijdt. U moet remmen om een aanrijding met de auto voor u te voorkomen.

15 B Gas loslaten: Uw zicht is beperkt door de haag en het bord J21 waarschuwt u ook nog eens voor (spelende) kinderen. U moet extra alert zijn.

16 A Remmen: De man en kinderen fietsen voor u langs en komen ook nog eens van rechts. U moet wel remmen om een aanrijding te voorkomen.

17 B Gas loslaten: U weet niet wat deze voetganger gaat doen en of hij u al gezien heeft. Voorzichtigheid is hier geboden.

18 B Gas loslaten: U heeft wel ruimte maar toch is het een situatie met gevaar. Het is verstandig om het gas los te laten.

19 B Gas loslaten: Er steekt een voetganger over die door de paraplu u niet ziet. Om voor extra zekerheid en veiligheid te zorgen kunt u het beste even het gas loslaten.

20 C Niets: U heeft in deze situatie voldoende (over)zicht en ruimte en er gebeurt niets dus kunt u met deze snelheid blijven rijden.

21 B Gas loslaten: U heeft weinig zicht op wat er in/na de bocht aanwezig is, voor de zekerheid kunt u beter het gas loslaten.

22 A Remmen: U rijdt op een smalle weg en de tegenligger die u nadert heeft u (nog) niet gezien.

23 A Remmen: De voetgangers zien u niet en er komt ook nog een auto uit de zijstraat die voor u de weg oprijdt.

24 C Niets: U heeft in deze situatie voldoende (over)zicht en ruimte en er gebeurt niets dus kunt u met deze snelheid blijven rijden.

25 B Gas loslaten: Deze bestelauto's beperken u in uw ruimte en in uw zicht op wat er allemaal achter vandaan kan komen. U moet daardoor extra voorzichtig en alert zijn.

Verkeersborden

26. Ja De geslotenverklaring gaat in over 650 meter (zie onderbord).

Voorrang

27. C De bestuurders van de auto en de motorfiets moeten de bestuurder van de bromfiets voor laten gaan. Dit wordt bepaald door het verkeersbord en de 'haaientanden' (= verleen voorrang aan bestuurders op de kruisende weg). De bestuurder van de afbuigende auto moet de bestuurder van de motorfiets voor laten gaan, omdat deze rechtdoor gaat op dezelfde weg.

Verkeersborden
28. Nee De pijl geeft een gebod aan om het bord voorbij te gaan aan die zijde die de pijl aangeeft.

Verkeersborden
29. B Bord A is een parkeerverbod, bord B een verbod om stil te staan.

Parkeren
30. Nee Deze parkeergelegenheid is alleen bestemd voor de voertuigcategorie die op het bord is aangegeven, in dit geval autobussen en geen personenauto's.

Voorrang
31. A De bestuurders van de tram en de fiets moeten de bestuurder van de auto voor laten gaan. Dit wordt bepaald door het verkeersbord en de 'haaientanden' (= verleen voorrang aan bestuurders op de kruisende weg). De bestuurder van de tram en de fietser komen niet met elkaar in conflict en mogen na de automobilist tegelijk doorrijden.

Voorrang
32. Ja Op gelijkwaardige kruispunten moet u bestuurders van trams die van links of rechts komen voor laten gaan.

Stilstaan
33. Ja Het bord geeft een parkeerverbod aan. U mag wel passagiers in- en uit laten stappen.

Algemene bepalingen
34. 12 meter. De maximaal toegestane lengte van een personenauto bedraagt 12 meter.

Voorrang
35. Ja De verplichting om bij het links of rechts afslaan rechtdoorgaand verkeer voor te laten gaan geldt niet voor bestuurders van trams.

Voorrang
36. B De bestuurder van de auto moet de bestuurders van de fiets en de snorfiets voor laten gaan. Dit wordt bepaald door het verkeersbord en de 'haaientanden' (= verleen voorrang aan bestuurders op de kruisende weg). De bestuurder van de afbuigende fiets moet de bestuurder van de snorfiets voor laten gaan, omdat deze rechtdoor gaat op dezelfde weg.

Voorrang
37. Ja U moet bestuurders die op een kruising van gelijkwaardige wegen van rechts komen voor laten gaan. De bromfietser is een bestuurder.

Verkeerslichten
38. B Stop, maar bestuurders van trams, lijnbussen en autobussen die het licht zo dicht genaderd zijn dat stoppen rederlijkerwijs niet meer mogelijk is mogen doorgaan.

Parkeren
39. Ja U mag uw auto aan de uiterste rechterzijde van de rijbaan parkeren.

Rotondes

40. Ja Het verlaten van een rotonde wordt beschouwd als naar rechts afslaan. Daarom moet u tijdig rechts richting aangeven.

Verkeersborden

41. A U mag bij de afgebeelde borden niet parkeren; laden en lossen en passagiers laten in- en uitstappen mag wel.

Algemene bepalingen

42. 2,55 meter. De maximaal toegestane breedte van een personenauto bedraagt 2,55 meter.

Verkeerslichten

43. B Tweekleurige verkeerslichten vindt u bijvoorbeeld bij bruggen en sluizen.

Stilstaan

44. B Binnen 12 meter van het bord bushalte of over de lengte van een blokmarkering bij een bushalte is het alleen toegestaan om passagiers in- en uit te laten stappen.

Plaats op de weg

45. C De verkeerszuil met bord D3.

Autowegen

46. Nee Op autowegen is het verboden om achteruit te rijden.

Tunnels

47. B Bij tunnels, geluidswallen en bruggen op een auto(snel)weg. De borden L19 geven een vluchtroute aan.

Voorrang

48. A De bestuurder van de tram hoeft bestuurders die van rechts komen op een gelijkwaardig kruispunt niet voor te laten gaan. De bestuurder van de afbuigende auto moet de bestuurder van de fiets voor laten gaan, omdat deze rechtdoor gaat op dezelfde weg.

Voorrang

49. Ja Bestuurders op de kruisende gelijkwaardige weg die van rechts komen moet u voor laten gaan. De fietsers zijn bestuurders.

Voorrang

50. A Op gelijkwaardige kruispunten moet u alle bestuurders die van rechts komen voor laten gaan.

Voorrang

51. Ja U moet de voetgangers voor laten gaan. Rechtdoorgaand verkeer, op dezelfde weg gaat voor.

Voorrang

52. C De bestuurders van de motorfiets en de auto moeten op deze gelijkwaardige kruising de respectievelijk van rechts naderende en rechtdoor gaande bestuurder van de snorfiets voor laten gaan. De bestuurder van de auto moet de van rechts naderende bestuurder van de motorfiets voor laten gaan.

Verkeersborden

53. Ja Het bord geeft een geslotenverklaring aan voor voertuigen die met inbegrip van de lading breder zijn dan op het bord is aangegeven.

Voorrang

54. A De bestuurder van de auto moet zowel de bestuurder van de snorfiets als de bestuurder van de brandweerauto voor laten gaan. Dit wordt bepaald door het verkeersbord en de 'haaientanden' (= verleen voorrang aan bestuurders op de kruisende weg). De bestuurder van de afbuigende brandweerauto moet de bestuurder van de rechtdoorgaande snorfiets voor laten gaan.

Voorrang

55. Nee De uitvaartstoet van motorvoertuigen, die herkenbaar is aan speciale herkenningstekens, mag u niet doorsnijden. Als het eerste voertuig van een uitvaartstoet van motorvoertuigen is gepasseerd moet u de gehele uitvaartstoet voor laten gaan.

Inrichtingseisen auto

56. Nee Wel moet een auto zijn voorzien van een goed werkende snelheidsmeter, die ook bij nacht voor de bestuurder goed afleesbaar is. De term kilometerteller wordt hiervoor vaak ten onrechte gebruikt.

Voertuigcontrole

57. Ja Hiermee voorkomt u schade aan de motor.

Ritvoorbereiding

58. Ja Deze kunnen onder de pedalen komen met alle gevolgen van dien.

Ongevallen

59. Nee Een verbandtrommel behoort (nog) niet tot de verplichte inrichtingseisen, maar is wel wenselijk.

Maximumsnelheid

60. Ja Bestuurders van bromfietsen, snorfietsen en landbouwvoertuigen.
Een rijbaan gemarkeerd met een groene asvulling staat beter bekend als een 'stroomweg'. Op stroomwegen zult u op de rijbaan geen fietsers, bromfietsers of landbouwvoertuigen tegenkomen. Dit moet echter, wettelijk worden aangegeven met verkeersborden aan het begin van de weg en na elke verharde zijstraat worden herhaald.

Maximumsnelheden

61. C Deze weersomstandigheden zorgen voor verschillende bijeffecten. Pas uw snelheid daarop aan.

Autowegen

62. Ja U moet altijd aan de kant van de berm gaan staan om zo ver mogelijk van het voorbij komende verkeer af te staan.

Inrichtingseisen auto

63. Ja In deze situatie fungeert de gevarendriehoek als extra waarschuwing voor het naderende verkeer dat op deze manier al voor de bocht wordt gewaarschuwd voor mogelijk dreigend gevaar.

Maximumsnelheden

64. Nee Het bord A4 geeft hier een adviessnelheid van 50 km per uur aan. Dit bord is hier geplaatst met een goede reden. Het is niet alleen verstandig maar ook veiliger om dit advies op te volgen.

Voertuigcontrole

65. Ja Als bestuurder bent u altijd zelf verantwoordelijk voor de toestand van uw voertuig. De verlichting en de retroreflectoren dienen schoon te zijn en dienen te werken.
Bij gebreken aan het voertuig (dus ook defecte verlichting) is naast de bestuurder ook de eigenaar strafbaar.

NOTITIES

Antwoorden en motivaties examen 9

			Gevaarherkenning
1	A	Remmen:	Het snelheidsverschil is te groot en de ruimte veel te beperkt. U moet wel remmen.
2	B	Gas loslaten:	Het is onduidelijk wat deze rode auto bij de bushalte van plan is. U moet dus voorzichtig zijn en voorbereid zijn op zijn/haar handelen, dit gaat het beste door het gas los te laten.
3	B	Gas loslaten:	De auto voor u gaat de rijbaan op en zal dan pas snelheid gaan maken. Om op een lagere snelheid voorbereid te zijn en de situatie te kunnen beoordelen kunt u het beste het gas loslaten.
4	A	Remmen:	De hijskraan blokkeert uw rijstrook en u moet ook het witte bestelauto voor laten gaan.
5	C	Niets:	U heeft hier alle ruimte en voldoende (over)zicht om met deze snelheid te kunnen blijven rijden.
6	B	Gas loslaten:	Uw snelheid is te hoog en uw volgafstand is te gering. Gezien de weersomstandigheden is het verstandig om het gas los te laten.
7	C	Niets:	U heeft in deze situatie voldoende (over)zicht en ruimte en er gebeurt niets dus kunt u met deze snelheid blijven rijden.
8	C	Niets:	U heeft hier alle ruimte en voldoende (over)zicht om met deze snelheid te kunnen blijven rijden.
9	B	Gas loslaten:	Deze voetganger steekt snel even over en is waarschijnlijk ook snel weer weg. Toch zijn dit soort situaties erg gevaarlijk en kunt u beter het gas loslaten.
10	A	Remmen:	Uw volgafstand is veel te kort, uw (over)zicht is zeer beperkt en u heeft ook nog weinig ruimte. U moet hier dus remmen.
11	B	Gas loslaten:	Door uw snelheid en de voetgangers die op de middenberm staan, moet u erop bedacht zijn dat ze over kunnen gaan steken.
12	A	Remmen:	Deze bestelauto blokkeert volledig uw zicht en rijbaan. Gezien uw snelheid moet u hier zeker remmen.
13	A	Remmen:	Deze voetgangers steken vlak voor u over. Ze zien u niet door hun paraplu en capuchon.
14	A	Remmen:	De voetgangers steken pal voor uw auto over en u heeft maar weinig afstand dus u moet stoppen om een aanrijding te voorkomen.

antw 9

15 C Niets: Uw overzicht en ruimte is goed. U kunt gewoon met deze snelheid blijven rijden.

16 B Gas loslaten: Let op of deze fietsers op u wachten tot u voorbij bent of dat ze toch voor u komen rijden. Wees dus extra alert en laat het gas los.

17 B Gas loslaten: Deze voetganger staat te wachten maar ziet u waarschijnlijk niet vanwege de paraplu. Dit soort situaties zijn erg onvoorspelbaar.

18 B Gas loslaten: U wilt linksaf en met deze snelheid gaat dat goed, maar aangezien u weinig (over)zicht heeft en beperkte ruimte is het verstandig om het gas los te laten.

19 B Gas loslaten: U rijdt bijna stapvoets maar er steken wel voetgangers over. Als u het gas loslaat zorgt dit voor een verhoogde alertheid.

20 A Remmen: De voetganger steekt pal voor uw auto over en geeft niet de indruk dat ze u gezien heeft. Gezien uw snelheid is remmen de beste keuze.

21 A Remmen: Deze voetganger loopt midden op rijbaan en gezien uw snelheid moet u remmen.

22 B Gas loslaten: Uw tegenligger haalt een fietser in en beperkt daarmee uw ruimte en doorgang. U kunt hier het beste het gas loslaten.

23 A Remmen: Deze voetgangers staan midden op de rijbaan en blokkeren uw doorgang. U moet remmen om een aanrijding te voorkomen.

24 C Niets: Uw snelheid is hier laag. Er stapt wel een vrouw uit de auto maar dat is nog ver weg. Bovendien kijkt de vrouw in uw richting.

25 B Gas loslaten: Deze voetganger loopt hier maar ziet u waarschijnlijk niet vanwege de paraplu. Deze situatie is erg onvoorspelbaar. U moet extra voorzichtig zijn.

Verkeersborden

26. Ja Het bord H2 geeft het einde van de bebouwde kom aan.

Plaats op de weg

27. Ja Dat is toegestaan, hoewel het niet de meest veilige manier is.

Inrichtingseisen auto

28. Nee De profileringsdiepte van de hoofdgroeven van de banden moet over de gehele omtrek van het loopvlak ten minste 1,6 mm bedragen, met uitzondering van de slijtage-indicatoren.

Verkeersborden

29. Ja Het bord geeft aan dat er loslopend vee is. Matig uw snelheid en houdt ook rekening met een bevuilde rijbaan.

Autowegen
30. Nee U rijdt op een autosnelweg, herkenbaar aan het rode bord met A16.

Autosnelwegen
31. Ja Het bord geeft einde 100 km per uur aan. U moet dus wel op een autosnelweg rijden.
U mag nu maximaal 120 of 130 km per uur gaan rijden.

Erven
32. A met bord A.

Verkeersborden
33. Ja Het bord geeft een geslotenverklaring voor vrachtauto's aan.

Autosnelwegen
34. Ja Bij het oprijden van de rijbaan is het geven van een teken met de richtingaanwijzer verplicht.

Gebruik van lichten
35. Nee Indien mist het zicht ernstig belemmert, mag aan de achterzijde alleen mistlicht gevoerd worden indien het zicht minder dan 50 meter is. Dit is ook toegestaan bij sneeuw. Bij regen is het niet toegestaan het mistachterlicht te voeren.

Algemene bepalingen
36. C Een op diesel rijdende personenauto moet na het derde jaar ieder jaar APK gekeurd worden.

Stoppen
37. Ja Bij autorijden hoort ook sociaal weggebruik. Dit betekent dat u rekening houdt met andere weggebruikers. Door te stoppen laat u zien dat u een sociaal weggebruiker bent.

Verkeersborden
38. A Vluchthaven.

Verkeerslichten
39. B De verlichte getallen boven de rijstroken geven de maximumsnelheid aan.

Overwegen
40. Ja Het andreaskruis geeft aan dat er twee of meer sporen zijn. Wacht tot de bomen geheel omhoog zijn en het rode overweglicht is gedoofd.

Afslaan
41. Ja Indien er geen opstelmogelijkheid is dan kunt u het beste voor elkaar langs gaan, dit geeft een vlottere verkeersdoorstroming. Houdt wel oogcontact met de andere bestuurder.

Autosnelwegen
42. Nee Verlaat u de doorgaande rijbaan en volgt u daartoe een uitrijstrook, dan bent u verplicht om ter hoogte van de daarin aangebrachte (naar rechts wijzende) pijlen de richting te volgen die de uitrijstrook aangeeft; u moet dan dus daadwerkelijk uitvoegen.

Borden

43. B Vaste uitwijkroute met nummeraanduiding.
De U-borden geven een vaste omleidingsroute aan over het provinciale of gemeentelijke wegennet. Op het blauwe bord staat de letter U en het nummer van de route. Bij calamiteiten wordt er informatie gegeven op borden of een tekstkar.

Gebruik van lichten

44. Ja Het is overdag toegestaan om dimlichten te voeren. Bij slecht zicht overdag bent u verplicht verlichting te voeren.

Lading

45. C Balken.

Wegen buiten de bebouwde kom

46. Ja Indien u een obstakel vormt voor het verkeer dat u aan de voorzijde nadert, dient u aan die zijde uw gevarendriehoek te plaatsen.

Plaats op de weg

47. Ja Bij het wegrijden bent u verplicht om een teken met de richtingaanwijzer te geven.

Maximumsnelheid

48. B Op de rechterrijstrook rijden meer motorvoertuigen en vooral meer zware motorvoertuigen die de meeste spoorvorming veroorzaken.

antw 9

Alcohol geneesmiddelen en drugs

49. 88 microgram. (0,2 promille). Meer alcohol per liter uitgeademde lucht is een misdrijf.
Voor ervaren bestuurders is de limiet 220 micogram (0,5 promille).

Inrichtingseisen aanhangwagen

50. 750 kg. De toegestane maximummassa van een ongeremde aanhangwagen is 750 kg.

Kentekenbebijzen

51. B De gegevens staan vermeld op kentekenbewijs deel 1B.

Maximumsnelheid

52. 50 km per uur. U mag na dit bord in de bebouwde kom maximaal 50 km per uur rijden.

Voorrang

53. B De bestuurders van de motorfiets en de auto komen niet met elkaar in conflict.
De bestuurder van de vrachtauto moet de bestuurders van de auto en de motorfiets voor laten gaan, omdat zij van rechts komen op een gelijkwaardig kruispunt.

Maximumsnelheid

54. C Bord C geeft een adviessnelheid aan, de beide andere borden een maximumsnelheid.

Inhalen

55. A Bestuurders van vrachtauto's.

Ongevallen

56. A U slaat met de lifehammer, met de scherpe punt zo dicht mogelijk tegen de onderste sponning van de zijruit aan. Op deze plaats(en) is de spanning op de zijruit het hoogst waardoor deze snel zal barsten.

Ritvoorbereiding

57. A Bestuurders van bromfietsen, snorfietsen en fietsen.
Een rijbaan gemarkeerd met een dubbele asstreep staat beter bekend als een 'ontsluitingsweg'. Op ontsluitingswegen zult u op de rijbaan geen fietsers en bromfietsers tegenkomen. In landelijk gebied kunt u hier wel langzaam landbouwverkeer tegenkomen.
Dit moet echter, wettelijk worden aangegeven met verkeersborden aan het begin van de weg en na elke verharde zijstraat worden herhaald.

Zuinig en milieubewust autorijden

58. Ja Als u met een aanhangwagen rijdt, verbruikt de auto meer brandstof.

Zuinig en milieubewust autorijden

59. Ja Doordat het voertuig is voorzien van een skibox heeft deze meer luchtweerstand. Een hogere luchtweerstand betekent een hoger brandstofverbruik.

Zuinig en milieubewust autorijden

60. Nee Het schoonspuiten van het motorblok mag uitsluitend in een daarvoor geschikte ruimte gebeuren in verband met bodemverontreiniging.

Algemene bepalingen

61. C De voorwerpen op het dashboard blokkeren de voorruitontwaseming, geven een hinderlijke reflectie en verminderen het uitzicht.

Voertuigcontrole

62. A Wanneer u een aantal minuten wacht voordat u het oliepeil controleert, kan de motorolie in het carter terugvloeien.

Voertuigcontrole

63. A Hoofdsteunen zijn in hoogte verstelbaar en moeten overeenkomstig de lichaamslengte worden afgesteld. U bent het beste beschermd als de bovenkant van uw hoofdsteun op dezelfde hoogte is afgesteld als de bovenkant van uw hoofd.

Voertuigcontrole

64. Nee Een personenauto moet voorzien zijn van een werkende achteruitversnelling.

Ongevallen

65. Ja Als u betrokken bent bij een verkeersongeval moet u, als u daartoe in staat bent, hulp verlenen en/of enige maatregelen treffen.

Antwoorden en motivaties examen 10

Gevaarherkenning

1	B	Gas loslaten:	Ver voor u is er iets aan de hand. U kunt het beste uit voorzorg het gas loslaten om voorbereid te zijn op het onbekende dat verderop plaatsvindt.
2	B	Gas loslaten:	Deze fietsende kinderen zijn een onzekere factor en vaak onvoorspelbaar. U zult extra voorzichtig moeten zijn en het gas loslaten.
3	A	Remmen:	De vrachtauto wil naar rechts en zal dit waarschijnlijk nog voor u doen. U moet dus remmen om deze vrachtauto de ruimte te geven om in te voegen.
4	C	Niets:	Het (over)zicht is goed, uw snelheid is aangepast en u heeft voldoende ruimte om u heen. U kunt met deze snelheid blijven rijden.
5	B	Gas loslaten:	De bestuurder van de auto achter de bestelauto kan u niet zien en u weet niet wat hij of zij van plan is. U moet dus extra oplettend zijn.
6	C	Niets:	U heeft hier alle ruimte en voldoende (over)zicht om met deze snelheid te kunnen blijven rijden.
7	C	Niets:	U heeft hier alle ruimte en voldoende (over)zicht om met deze snelheid te kunnen blijven rijden.
8	A	Remmen:	De vrachtauto staat te laden en lossen. Gelet op uw volgafstand en snelheid moet u in deze situatie wel remmen.
9	A	Remmen:	De vuilniswagen staat midden op rijbaan en blokkeert uw doorgang en bovendien komt er ook nog een fietser aan. Gezien uw snelheid moet u remmen.
10	B	Gas loslaten:	Gezien hun positie zullen de fietsers weer via de berm terug gaan naar het fietspad. U moet echter wel voorzichtig zijn en dus kunt u het beste het gas loslaten.
11	B	Gas loslaten:	Uw snelheid is niet hoog maar toch moet u extra alert zijn voor de handelingen van de invoegende auto en kunt u het beste het gas loslaten.
12	C	Niets:	U heeft in deze situatie voldoende (over)zicht en ruimte en er gebeurt niets dus kunt u met deze snelheid blijven rijden.
13	A	Remmen:	Uw richtingaanwijzer geeft aan dat u linksaf gaat. Daar remt een witte bestelauto. U moet, gezien de bocht en uw snelheid, remmen.

14 A	Remmen:	De fietser heeft u niet gezien en steekt toch over, u moet, zeker gezien uw snelheid remmen om niet in botsing te komen.
15 A	Remmen:	Deze voetgangers steken vlak voor u over, zeker gezien de weersomstandigheden en uw snelheid van 50 km per uur moet u hier remmen.
16 B	Gas loslaten:	De inhalende bestelauto beperkt uw zicht. Hierdoor ontstaat er voor u onduidelijkheid over de situatie die zich achter de bestelauto bevindt.
17 B	Gas loslaten:	U rijdt langzaam maar er steken wel mensen over. Laat het gas los en blijft alert.
18 A	Remmen:	De fietsers rijden pal voor uw auto en u heeft maar weinig volgafstand dus u moet wel remmen om een aanrijding te voorkomen.
19 B	Gas loslaten:	De fietser met passagier haalt de bestelauto in en het is onduidelijk of u voldoende ruimte heeft. Extra voorzichtigheid is hier geboden.
20 B	Gas loslaten:	De autobus voor u remt. Uw snelheid is laag en met deze weersomstandigheden is het gevaarlijk om steeds te remmen en kunt u beter het gas loslaten.
21 A	Remmen:	Deze auto staat geparkeerd en de auto erachter verkleint uw doorgang en u heeft geen zicht op wat er door de bocht komt. Gezien uw snelheid moet u hier remmen.
22 C	Niets:	U heeft in deze situatie voldoende (over)zicht en ruimte en er gebeurt niets dus kunt u met deze snelheid blijven rijden.
23 B	Gas loslaten:	De fietsers rijden naast elkaar en gebruiken daardoor een groot gedeelte van de rijbaan. Laat het gas los en blijf alert.
24 B	Gas loslaten:	De scooter zal waarschijnlijk voor aansluiten bij het verkeerslicht maar rijdt momenteel op uw weghelft. Vanwege deze onzekerheid kunt u het beste het gas loslaten.
25 A	Remmen:	De fietser heeft u wel gezien maar steekt toch over, u moet remmen om een aanrijding te voorkomen.

Gebruik van signalen

26. Nee Het is niet verstandig de fietser die u zo dicht genaderd bent te waarschuwen met een geluidssignaal. Dat zou een schrikreactie met vervelende gevolgen kunnen veroorzaken. Even wachten dus tot de tegenligger is gepasseerd en op een beter moment inhalen.

Gebruik van lichten

27. Ja Indien overdag het zicht ernstig wordt belemmerd bent u verplicht om dimlicht te voeren. Groot licht is overdag óók bij slecht zicht verboden.

Verkeerstekens op de weg

28. Ja Bij een blokmarkering mag u rechts inhalen en invoegen als er voldoende plaats op de doorgaande rijbaan is. Let wel op de bestuurders op de uiterste linkerrijstrook.

Verkeerstekens op de weg

29. Nee De doorgetrokken witte streep mag u niet overschrijden.

Afslaan

30. Nee Indien u rechts afslaat moet u het rechtdoorgaande verkeer, dat zich naast of achter u bevindt, voor laten gaan.

Verkeersborden

31. Nee Bord B6 geeft aan dat u alle bestuurders op de kruisende weg voor moet laten gaan.

Voorrang

32. Ja U moet te allen tijde voorrangsvoertuigen voor laten gaan. Een ambulance is een voorrangsvoertuig als deze de voorgeschreven optische- en geluidssignalen voert.

Erven

33. B Binnen een erf gelden dezelfde voorrangsregels als op kruispunten van gelijkwaardige wegen, namelijk: u moet alle bestuurders van rechts voor laten gaan.

Afslaan

34. Ja U wilt links afslaan. U moet het rechtdoorgaande verkeer, dat u tegemoet komt, voor laten gaan.

Rotondes

35. Ja De oranje pijlborden geven een route voor het vervoer van bepaalde gevaarlijke stoffen aan.

Voorrang

36. Nee U mag een militaire colonne niet doorsnijden.

Parkeren

37. Ja Het bord geldt alleen aan die zijde van de weg waar het is geplaatst.

Verkeersborden

38. C Taperaansluiting.

Voorrang

39. Ja U moet de voetgangers voor laten gaan. Rechtdoorgaand verkeer op dezelfde weg gaat voor.

Verkeerslichten

40. Nee De militaire colonne slaat linksaf. Bestuurders die afslaan moeten het rechtdoorgaande verkeer (dus ook voetgangers) voor laten gaan. Aangezien het hier het eerste militaire voertuig betreft, gaat u eerst.

Begripsbepalingen

41. Nee Een ambulance is een voorrangsvoertuig als deze de optische- en geluidssignalen voert.

Verkeerstekens op de weg

42. Nee Er geldt geen stopverplichting voor de haaientanden. Wel moet u bestuurders op de kruisende weg voor laten gaan.

Stilstaan

43. Ja Op de rijbaan van een voorrangsweg buiten de bebouwde kom is het niet toegestaan om te parkeren. Dat mag wel in de berm. Alleen stilstaan om een passagier uit te laten stappen mag wel op de rijbaan, maar is veiliger in de berm.

Algemene bepalingen

44. C Rechts één groene vlag en rechts één groen koplicht.

Voorrang

45. Nee Het eerste motorvoertuig van een militaire colonne, o.a. herkenbaar aan twee blauwe vlaggen links en rechts, nadert u van links. Dit eerste voertuig moet zich houden aan de hoofdregel van de voorrang en moet u voor laten gaan.

Plaats op de weg

46. Nee Alleen bestuurders van autobussen en lijnbussen mogen de busstrook gebruiken.

Overwegen

47. B Op 240 meter voor een overweg aan de rechterzijde van de rijbaan. Staat er één streep op het baken dan is de afstand 80 meter. Bij twee strepen is dat 160 meter.

Stilstaan

48. Ja U staat naast een gele onderbroken streep. Parkeren is niet toegestaan, stilstaan wel.

Rijbewijzen

49. 10 jaar. Voor personen boven de 70 jaar is dat maximaal 5 jaar

Gebruik van lichten

50. 50 meter. Als het zicht minder is dan 50 meter mag u mistachterlicht voeren.

Verkeersborden

51. C Dit bord betekent dat u alle bestuurders op de kruisende weg voor moet laten gaan.

Parkeren

52. C Op een onderbord kunnen diverse mogelijkheden zijn aangegeven.

Plaats op de weg

53. B Bij de borden A en C; verplicht en onverplicht fietspad.

Verkeersborden

54. A Inrijden toegestaan.

Autosnelwegen

55. A Versmalling of einde vluchtstrook.

Wegen buiten de bebouwde kom

56. A U laat het gas los en stuurt pas weer terug de rijbaan op wanneer uw snelheid voldoende is verminderd.
Zodra u met hoge snelheid in een zachte berm terecht komt, blijft u dan vooral rustig! Ga absoluut niet remmen maar verminder rustig vaart door het gas los te laten. Zodra uw snelheid voldoende is verminderd begint u **rustig** met het terugsturen richting de rijbaan.

Het nieuwe rijden

57. Nee Het is zuiniger en beter voor het milieu om te starten vlak voordat u weg wilt rijden.

Algemene bepalingen

58. A Een wettelijke aansprakelijkheids verzekering (WA).

Ongevallen

59. C Als het slachtoffer niet ademt, controleer dan of de mond leeg is en pas dan mond-op-mondbeademing toe.

antw 10

Het nieuwe rijden

60. B Met lage toerentallen in hoge versnellingen rijdt u het zuinigst.

Voertuigcontrole

61. B Het mistachterlicht is aan: Het symbool van grootlicht is blauw van kleur en het symbool voor ABS is anders van vorm.

Zuinig en mileubewust rijden

62 Nee De cruise control houdt de ingestelde snelheid van de auto constant bij wisselende rijomstandigheden, zoals wind en hellingen zonder dat u het gaspedaal bedient.

Plaats op de weg

63. C Wegverkanting zorgt ervoor dat de middelpuntvliedende kracht wordt opgevangen.

Maximumsnelheid

64. Ja Bij verschillende weersomstandigheden kan aquaplaning ontstaan, zeker bij een hoge snelheid. Pas uw snelheid daarom aan op de weersomstandigheden.

Autosnelwegen

65. Nee Een personenauto met de motor voorin heeft een onderstuurd karakter.